Patryk Omen

Dobro umiera w ciszy

novaeres
WYDAWNICTWO INNOWACYJNE

Część I

I.
Rok 2026 – spotkanie

Kiedy pojawiła się w drzwiach mego domu, na początku nie potraktowałam jej poważnie – kto poważnie potraktowałby około dwunastoletnią dziewczynę? Wieczorem tego samego dnia, traktowałam ją już jednak nad wyraz autentycznie.

Ta dziewczyna, i jej historia, wywarły na mnie tak ogromny wpływ, iż wciąż nie potrafię o niej zapomnieć – a minęło już od tamtej pory kilka miesięcy. Śnię i myślę o niej. Mam ją ciągle przed oczami. Nie wiedząc o tym, stała się ważnym elementem mego życia. Czy każdy, kto napotkał ją na swej drodze, odczuwa to samo co ja? Czy tylko ci, którzy poznali ją głębiej? A ja poznałam – niestety. Nie mam jednak (tak naprawdę nigdy nie miałam, i wiem, że mieć nie będę) odwagi spotkać się z nią ponownie, by porozmawiać. Wyjaśnić pewne fakty. Lepiej ją zrozumieć. Pragnę wymazać ją z pamięci – nie utrwalić.

Zważywszy na jej wiek, nic dziwnego, że nie zadzwoniła wcześniej, aby umówić się na spotkanie – tak, jak robili to wszyscy zainteresowani moimi usługami. Pewnie od razu odłożyłabym słuchawkę, sądząc, że to jakiś kolejny szczeniacki żart. W ogłoszeniach w czasopismach fachowych umieszczam tylko numer telefonu, a z klientami spotykam się wyłącznie w neutralnych miejscach. Nigdy nie mieszam życia zawodowego z osobistym. Taką mam zasadę. W moim fachu inaczej się nie da, jeśli nie chce się postradać zmysłów.

Pierwszym moim pytaniem, jakie zadałam, było więc, skąd zna mój adres. W odpowiedzi wyciągnęła dwa banknoty po sto euro i powiedziała, że jeśli okażę się tym, za kogo się podaję, to dostanę dziesięć razy tyle. Dwa tysiące euro to gaża, jakiej raczej się nie otrzymuje w mojej profesji za jedno zlecenie. Połakomiłam się, kto by odmówił... Potrzebowałam pieniędzy. Interesy nie szły ostatnio zbyt dobrze. Starzy klienci stawali się coraz biedniejsi, a nowych jakoś mi nie przybywało w imponującym tempie. Nic dziwnego, przy konkurencji telefonicznych naciągaczy żaden prawdziwy fachowiec nie ma szans. Zapytałam zatem, co chce, abym zrobiła. Odpowiedziała, abym na dobry początek ubrała się, gdyż czeka nas długa droga. Na wszelki wypadek miałam zabrać ze sobą rzeczy na dwa dni.

Spakowałam zatem standardowy, przy tego typu wyprawach, zestaw podróżny i dosłownie po kilku minutach zameldowałam się do jej dyspozycji. Nieletnia od razu przeszła do rzeczy. Interesowało ją, czego potrzebuję, bym mogła opowiedzieć o zdarzeniach dotyczących pewnych osób, które miały miejsce szesnaście lat temu. Odpowiedziałam, że wystarczą rzeczy osobiste należące do tych ludzi. Najlepiej te, które były „świadkami" interesujących ją zdarzeń – miałam na myśli ubrania, biżuterię, cokolwiek. Bardzo dobrze byłoby, gdyby zaprowadziła mnie również w miejsca bezpośrednio powiązane ze wspomnianymi wydarzeniami. W pomieszczeniu odbiór będzie najmocniejszy. Oznajmiła mi, że z tym nie będzie problemu. Następnie ruszyła klatką schodową w dół. Poszłam za nią – a raczej za gażą, jaką oferowała.

Dziewczyna nie wyróżniała się jakoś szczególnie ubiorem. Niebieskie dżinsy, czarne tenisówki i czerwona sportowa bluza. Urodę miała już jednak nieprzeciętną. Nie powiedziałabym, żeby była jakoś szczególnie piękna; była raczej intrygująca: blada, prawie biała cera (co w kontekście przemijającego bardzo upalnego lata świadczyło, iż unikała słońca jak ognia), proste długie czarne włosy... i te oczy: wielkie, czarne i przenikliwe. Uwielbiam ten typ urody, wyraz twarzy i zachowanie mówiące: wiem więcej, niż ci się wydaje – ale to tajemnica.

Wyszłyśmy przed kamienicę. Poranne wrześniowe słońce oblewało budynki przy Francuskiej. Spojrzałam ponad ich dachy – zapowiadał się piękny dzień. W sam raz na wycieczkę poza Warszawę. Dziewczyna przeszła na drugą stronę ulicy i podeszła do mocno leciwego srebrnego samochodu terenowego. Przywołała mnie gestem ręki i zajęła miejsce od strony pasażera. Dopiero zbliżając się do pojazdu, zauważyłam siedzącego za kierownicą mężczyznę. Nie była więc sama. A czego się, głupia, spodziewałam? Tego, że uda mi się wykorzystać naiwność dzieciaka i załatwię sprawę szybko, bez zbytniego zaangażowania z mojej strony? Nie za taką kwotę – mogłam się spodziewać, że musi za tym stać ktoś jeszcze. Dwa tysiaki na ulicy ot tak sobie nie leżą.

Gdzie jedziemy, zapytałam, zaraz jak tylko usiadłam na tylnym fotelu. Mężczyzna, lustrując mnie w tylnym lusterku, oznajmił, że oni wiedzą gdzie, ale to ja, jeśli rzeczywiście jestem tym, za kogo się podaję, mam ich tam pokierować. Dziewczyna zapytała mnie podejrzliwie, czy coś czuję, dostałam bowiem to, czego chciałam. Nie zrozumiałam. Już miałam zapytać, o co jej chodzi, kiedy nagle przed moimi oczami pojawił się pierwszy, słaby jeszcze obraz. Ten samochód – to on był jednym z portali. Dotknęłam bojaźliwie zagłówka fotela kierowcy. Moja mocodawczyni uspokoiła się, widząc nagłą zmianę w moim zachowaniu – wiedziała, że „podjęłam trop". Zakomunikowała, iż chcą, abym mówiła im wszystko, czego doświadczam. Każdy wyraz, zdanie i scena były dla nich niezwykle istotne. Posiadali już wiele informacji o interesującej ich sprawie, więc bardzo szybko mieli zweryfikować prawdziwość mojej relacji. Czułam, że mężczyzna, w przeciwieństwie do dziewczyny, był do mnie bardzo sceptycznie nastawiony. To on zapytał mnie chłodno, czy jestem gotowa. Skinęłam głową. Podał mi fotografię, oznajmiając, że to oni: Karol i Amanda Matlak. Przechwyciłam zdjęcie i kiedy tylko objęłam je wzrokiem, obrazy pojawiły się przed moim oczami. Żywe, silne jak nigdy wcześniej. Moje ciało astralne udało się w podróż.

Zaczęłam mówić.

2.
W drogę

— Amando, pospiesz się. Wiesz dobrze, że przed nami daleka droga. — Karol chwycił w dłonie dwie zielone walizki i przetransportował je do holu. Porzucił toboły przy drzwiach wyjściowych i powrócił do sypialni z wymalowanym na twarzy sztucznym grymasem zmęczenia.

Amanda siedziała na łóżku, składając z pasją w foremne kostki kolejną partię swoich ubrań. Zerknęła z uśmiechem na męża, kiedy ten stanął tuż obok niej.

— Nie przesadzaj, nie są aż tak ciężkie. Gdzie twoja młodzieńcza krzepa, Herkulesku? Dziadziejesz mi z każdym rokiem. A tak naprawdę dopiero od teraz będziesz mi potrzebny.

— I to dlatego uciekasz do mamusi? — Kucnął i złapał ją za dłonie.

– Ooo, jakie ty masz toporne poczucie humoru. Przecież wiesz dobrze, dlaczego. Rozmawialiśmy już o tym. Nie chcę być sama. A ciebie wiecznie nie ma w domu. To i tak cud, że masz chociaż wolną sobotę i możesz mnie zawieźć osobiście, a nie muszę się tłuc w moim stanie taki kawał drogi autobusem.

– À propos kawału drogi – przypomniał, ściskając delikatnie jej dłonie – jedźmy już, proszę.

– Jeszcze tylko kilka niezbędnych rzeczy i będę gotowa. Czy mógłbyś? – wskazała na spoczywające na łóżku kupki kolorowych szmatek. – Tylko proszę, wkładaj ostrożnie. Nie chcę zaraz po przyjeździe rozścielać wszystkiego na desce do prasowania.

Przeszedł zgrabnie z pozycji kucanej w klęczącą i spełnił jej prośbę. Rozmieścił pakunki z typową dla siebie architektoniczną zawodową starannością: walizka – kwartał dzielnicy do zabudowy, ubrania – kolejne wieżowce do rozmieszczenia.

– Psychol – roześmiała się i podeszła do niego, powłócząc nogami.

Zerknął w górę. Uwielbiał patrzeć na nią z tej perspektywy. Stąd było widać najlepiej, w jak zaawansowanej była już ciąży. Przyłożył głowę do jej brzucha.

– Jeszcze tylko kilka dni, góra tydzień – wyszeptał, nasłuchując jakichkolwiek odgłosów wydawanych przez wspólny owoc ich miłości.

– Tak, już niedługo – potwierdziła, przyciskając mocniej głowę ukochanego. – Adam junior.

Trwali chwilę w milczeniu, w błogiej bliskości trzech ciał. Karol odezwał się jako pierwszy:

– Spakowałaś lekarstwa?

– Tak.

– Do podręcznego czy do walizki?

– Do podręcznego. Przecież wiem: nie będziesz się zatrzymywał po drodze i grzebał w bagażniku w poszukiwaniu dupereli. Nie pierwszy raz przecież wybieram się z tobą w drogę. Uczę się.

– To wszystko? Bierzesz coś jeszcze?

– Wszystko. Możesz zabrać walizkę.

– Nie chowaj reszty do szafy – zasugerował. – Nie mamy na to czasu. Zajmę się tym po powrocie. Wiesz dobrze, że musimy jeszcze podskoczyć do mojej pracy. Czekają na plany.

Zasunął szybkim ruchem zamek błyskawiczny czerwonej walizki i wstał z podłogi.

– No to w drogę – powiedział.

– W drogę – przytaknęła z lekkim zdenerwowaniem.

– Zniosę walizki do samochodu, a ty sprawdź, czy nie zostawiliśmy czegoś włączonego. Dobrze?

Przytaknęła głową. Wyszli obydwoje z sypialni. Ona udała się wolnym krokiem do kuchni na inspekcję bezpieczeństwa. On ruszył pospiesznie do holu. Wymienił czerwoną walizkę na zielone i opuścił mieszkanie.

Amanda sprawdzała kurki z wodą w łazience, kiedy Karol zameldował się z powrotem w mieszkaniu.

– I jak? – zapytał z zainteresowaniem.

– Jak zwykle wszystko tip-top. Nie uronimy ani kropelki wody, ani mikro czegoś tam gazu i tyle samo czegoś tam prądu.

– Metra sześciennego i kilowata.

– Tere-fere – przedrzeźniła go żartobliwie.

Stanął w progu łazienki, przyglądając się z uśmiechem, jak szarooka blondynka o kręconych włosach sięgających ramion mocuje się z zaworem ciepłej wody.

– Jesteś taka piękna. Coraz piękniejsza. Mam nadzieję, że kiedy pojawi się Adaś, nie odstawisz mnie na bok, jak jakiegoś niepotrzebnego, zużytego grata?

– A kto powiedział, że chcę poprzestać na jednym dziecku? – Podeszła do niego i pocałowała namiętnie w usta. – No, ogierku, zabierz walizkę z sypialni i ruszajmy. Ja zamknę dom.

– Zaczekam na ciebie i pójdziemy razem.

– Poradzę sobie. Jestem ciężarna a nie kaleka. – Przecisnęła się obok męża i udała się do kuchni, skąd zabrała niedużą podręczną torbę.

– Nie bierzesz nic do jedzenia? Nawet wody? – zagadnął, nie mogąc odszukać w pamięci, aby przygotowywała jakikolwiek prowiant na podróż.

– Kupimy coś po drodze. No co tak patrzysz zdegustowany? Ty kanistrów z paliwem nie bierzesz. Dorwiemy coś na stacji. – Włożyła buty i wyszła na klatkę schodową, pobrzękując ostentacyjnie kluczami.

Karol podniósł czerwoną walizę i ruszył w ślad za żoną.

– No idź, nie czekaj, ja muszę jeszcze… – powiedziała.

– Wiem. Będę na dole. – Wcisnął przycisk przywołujący windę i kiedy tylko ta zaanonsowała melodyjnym sygnałem swą obecność, zniknął w jej wnętrzu.

Amanda zamknęła drzwi mieszkania, po czym wykonała na ich bukowej okleinie znak krzyża, szepcząc słowa:

– Matulu Boska, spraw, aby temu domostwu nic się nie stało podczas naszej nieobecności. Strzeż jego mury przed przykrymi niespodziankami zarówno natury, jak i ludzkiej zawiści. Spraw, aby nasza droga była wolna od niemiłych przygód i by Karol powrócił bezpiecznie z powrotem do domu. Amen.

3.
Rudowłosa z windy

Karol mknął windą do siedziby Grudziński i Spółka – swojego aktualnego pracodawcy. I kiedy tylko wszedł do srebrzysto-lustrzanego czworoboku i wybrał przycisk numer 27, pojawiła się ona: rudowłosa piękność z dwudziestego piątego poziomu. Udawał, że nie patrzy, co zresztą nie było zbyt trudne. Obite taflami lustra wnętrze pozwalało mu bez skrępowania podziwiać fizjonomię kobiety. Zielone oczy, kredowa twarz delikatnie przypudrowana w odcień rdzy, nie na tyle jednak, aby móc przykryć piegi pokrywające policzki oraz pełne czerwone usta. Czarny żakiet perfekcyjnie opinający krągłości. Krótka spódniczka i długie, zgrabne nogi zwieńczone czarnymi butami na obcasach.

Zastanawiał się, kim ona jest. Pracownikiem szeregowym czy może kimś wyżej? Marketing i reklama, a może dział sprzedaży? Nie pierwszy raz znajdował się z nią w identycznym położeniu – sam na sam. I nie pierwszy też raz zbierał się na odwagę, aby zacząć rozmowę. Dwadzieścia pięć pięter to jednak zbyt krótka droga na pogadankę. O co mógłby ją zapytać, gdy widział kątem oka umykające coraz wyżej na elektronicznym wyświetlaczu czerwone numerki? „Cześć, jestem Karol z dwudziestego siódmego, a ty…"? Przy kolejnych spotkaniach przekazałby jej informację, gdzie pracuje oraz czym się zajmuje – chociaż to przecież widać gołym okiem. Zawsze ta sama brązowa skórzana aktówka i tuby z planami, do tego idealnie skrojony garnitur, perfekcyjnie uczesane włosy oraz gładka, ogolona twarz. Nie pomyliłaby przecież młodego, dobrze zapowiadającego się architekta jednej z najlepszych pracowni w mieście ze stażystą lub gońcem. Chociaż dziś, wyjątkowo, ubrany jest luźno: dżinsy i zwykła koszula, brak aktówki, i ten ledwo widoczny, aczkolwiek wyczuwalny pod dłonią, dwudniowy zarost. No ale w końcu jest sobota: dziś ma wolne, wpadł tylko na chwilę dostarczyć plany. Chyba Rudowłosa jest w stanie domyślić się tego bez podpowiedzi z jego strony.

A ona?... No cóż, bez wątpienia podzieliłaby się z nim podobnymi wiadomościami. I tak trwałaby ta wieloodcinkowa wymiana kurtuazji. Tasiemiec niemający końca. Bo o jakim zwieńczeniu mogła być mowa? Wspólny lunch, kolacja, kino, teatr, a może coś więcej?... Przymknął powieki, nie pozwalając oczom dłużej narzucać coraz bardziej kosmatych myśli. Nie pomogło – zbyt dobrze zakodował już w pamięci obraz nieznajomej. A to niedobrze. Ma w końcu żonę, Amandę, i dziecko w drodze. Tak, ma... I łączy ich wspólny mianownik: brak seksu. Jeszcze kilka miesięcy temu nie zwróciłby na Rudowłosą uwagi – przynajmniej nie w taki sposób jak obecnie. Zaczął ją zauważać dopiero od niedawna. A wedle wiedzy Mariana, z którym pracuje, ta „seks-rudowłosa-lalunia kręci ponętnie pupą w ich biurowcu od przeszło dwóch lat". Kilka miesięcy temu to jednak nie teraz. Teraz jest zupełnie inaczej. Teraz jest na głodzie.

W jednym momencie winda zrobiła się dla niego niezmiernie ciasna i duszna. Metaliczne ściany sześcioboku zaczęły napierać ku sobie, a wnętrze wypełniło się zapachem zmysłowych kobiecych perfum... i jeszcze czymś: jej zapachem. Poczuł go nazbyt wyraźnie, namacalnie. Zapach kobiecych pragnień, rządzy, rozkoszy.

Din-don – sygnał stopu. Dwudzieste piąte piętro. Dzięki Bogu. Został sam na sam ze swoim odbiciem. Zapach nieznajomej wciąż jednak wypełniał metaliczną puszkę. Jeszcze tylko krótka chwila męki, kolejny sygnał stopu i będzie się przed nim rozpościerać nieogarniona (w porównaniu z ciasną windą) przestrzeń biura.

Din-don – Karol wypadł na zewnątrz zaczerpnąć bezpłciowej, obojętnej atmosfery pracy. Przemaszerował szybkim krokiem, witając się uśmiechami i zdawkowymi skinieniami głowy z nielicznymi weekendowymi pracownikami. Stanął przy szklanych drzwiach pryncypała i zapukał delikatnie.

– Wejść! – dobiegł zza szyby mocny głos.

– Dzień dobry – rzekł Karol, zanim jeszcze zdołał objąć wzrokiem sylwetkę przełożonego.

– A to ty, Matlak, dobrze, że już jesteś.

– Wybacz, Piotrze, ale nie mogłem szybciej – oznajmił, przechodząc w głąb gabinetu. – Amanda jest już wyjątkowo powolna.

– No to jest chyba oczywiste – Piotr przytaknął ze zrozumieniem.

Pulchna, okrągła niczym słońce twarz pięćdziesięciokilkulatka i z trudem dający się zamknąć w sztywnych ramach marynarki brzuch – przynajmniej wizualnie Piotr był już gotowy, by dołączyć w poczet prezesów firmy Grudziński i Spółka.

– Do tego zabrała ze sobą tyle ciuchów… – Uścisnął dłoń przełożonego i usiadł po drugiej stronie biurka. – Myślałem, że mi kręgosłup strzeli, kiedy jej to wszystko przenosiłem do samochodu.

– Niestety, przyjacielu, tak to już jest. Mężczyźni projektują coraz lżejsze i tańsze materiały na te ich ciuszki, aby ulżyć swoim plecom i portfelom zarazem. Jednak na nic nasz trud.

Kobiety idą bowiem w ilość. – Jego śmiech przypominał warkot odpalanego silnika w starym samochodzie, o tyle drażniący, że ten motor nie chciał zaskoczyć.

– Tak, nie inaczej – Karol przyłączył się do rechotu, chociaż tak na dobrą sprawę nie zrozumiał żartu.

– No, ale powiedz mi, jak się czuje przyszła matka.

– Dobrze. Naprawdę dobrze. Ale widać, że już jest blisko porodu.

– Uwierz mi, one niczego tak nie pragną w tym ostatnim czasie przed rozwiązaniem, jak tylko pozbyć się wreszcie tego cholernego balastu. Wiem, co mówię, przechodziłem to już dwa razy – zaśmiał się ponownie, rozprostowując otyłe cielsko w fotelu.

Zapewne miał rację. Przydomek Tatuś, jakim określali go między sobą podwładni, miał w końcu o wiele więcej wspólnego z faktem, że był ojcem jednego z pracowników firmy, niż ze zwykłym, zdrobniałym korporacyjnym określeniem szefa.

– Proszę, mam te plany.

Karol postanowił przejść do meritum. Nie miał czasu. Już dawno powinni być w drodze.

– Pięknie się z tym uwinąłeś – przełożony odebrał tuby i rozłożył je na blacie. – Prezesi są z ciebie bardzo zadowoleni. Podpytywali mnie o ciebie, a ja szepnąłem im co nieco dobrego na twój temat. Kto wie, może już niedługo zostaniesz dopuszczony do jakichś ważniejszych projektów.

– Dziękuję – Karol poprawił się w fotelu, wyraźnie połechtany po ambicji.

Z zawodowego punktu widzenia – który coraz bardziej stawał się również i tym osobistym – niczego tak nie pragnął, jak otrzymania wreszcie szansy wykazania się przy większych zleceniach. W końcu dlatego zostawał w biurze po pracy, nieraz i na wiele godzin. Nie odmawiał też pracy w soboty. Nie wspominając już o ślęczeniu nad nią w domu. Ale miał plan i konsekwentnie do niego zmierzał: piąć się jak najwyżej po zawodowej drabinie, aby zostać wspólnikiem w firmie Grudzińskiego, a po kilku latach mieć już tak wyrobioną reputację w światku architektów i świadomości klientów, by otworzyć własną pracownię.

– Szykuje się gruba robota przy dość dużym kompleksie handlowym. Mam nadzieję, że do nas dołączysz. Będę twoim osobistym orędownikiem w tej kwestii. Dowiesz się o wszystkim w najbliższych dniach. Pisałbyś się na to?

– Jestem całkowicie do dyspozycji.

– No właśnie, jeśli już o dyspozycji mowa… Poradzisz sobie? Znajdziesz czas na dodatkową pracę i dziecko równocześnie? – Piotr wyraził obawę, mając żywo w pamięci perturbacje z wychowaniem własnych dzieciaków w początkowym okresie ich życia. – Nocne wstawanie, i tak dalej. Sam rozumiesz.

– Tak. I jestem naprawdę ogromnie zmotywowany.

Był pewien – a przynajmniej miał taką nadzieję – że Amanda zrozumie jego decyzję i będzie go wspierać. Wyższe stanowisko wiązało się w końcu ze wzrostem dochodów. A piękny siedemdziesięciometrowy apartament w centrum, nowy terenowy samochód, drogie meble, o ubraniach i wysmakowanym jedzeniu już nie wspominając, nie spadły im z nieba, co niestety bardzo często musiał żonie uzmysławiać, zwłaszcza ostatnio, kiedy na widnokręgu pojawił się Adam junior. A kto, jeśli nie on, miał zabezpieczyć przyszłość chłopakowi? – przecież nie Amanda ze swojej pensji nauczycielki.

– Cholernie miło mi to słyszeć. Prezesi będą o tym z tobą rozmawiać w najbliższym czasie. Spodziewaj się telefonu nawet jutro. Wiesz, że oni lubią mieć pracowników do dyspozycji dwadzieścia cztery godziny na dobę… Szczerze… To zdziwiłbym się, jeśli porozmawialiby o tym z tobą dopiero w poniedziałek w pracy.

– Będę czekał na telefon. Jestem gotów – zapewnił ponownie.

– No, nie zawracam ci już głowy. Na pewno się spieszysz – wstał, chcąc odprowadzić rozmówcę do wyjścia.

– Rzeczywiście, późno się zrobiło – zerknął zafrapowany na zegar wiszący pomiędzy zdjęciami inwestycji i szkicami projektów stworzonych przez firmę, którymi zresztą upstrzone było całe biuro, i nawet w toalecie nie można było odlać się do pisuaru, nie wpatrując się w tym czasie w miniaturę biurowca czy hotelu. – Muszę już pędzić, zostawiłem Amandę w samochodzie.

– Aha, zapomniałbym – Piotr zatrzymał Karola, zanim ten jeszcze zdążył zamknąć za sobą drzwi gabinetu. – W zeszłym miesiącu jechałem służbowo tą samą trasą, w którą teraz się wybierasz. Jedziesz do ***[1], dobrze zapamiętałem? – Karol przytaknął pryncypałowi. – Michał, mój syn, który zresztą też jest w kręgu zainteresowania prezesów do tego projektu, o którym ci wspominałem – zaakcentował ten fakt z dumą – pokazał mi świetny skrót. Gdzieś pomiędzy trzysta dziesiątym a trzysta dwudziestym kilometrem. Za taką śmiesznie brzmiącą tabliczką z nazwą miejscowości. Niech no sobie przypomnę… Morda Arka[2] lub coś w tym stylu. Jest tam

---

1. Z premedytacją nie przytoczono nazw miejscowości (poza Warszawą), aby zatuszować rzeczywiste miejsca opisywanych wydarzeń.

2. W rzeczywistości z ust Piotra padły inne słowa. Poddano je jednak modyfikacji z tego samego powodu co w przypisie nr 1.

skręt w prawo. Łatwo go zauważysz. Zaraz obok jest kapliczka. Skrót wiedzie cały czas przez las, ale droga nie jest zła. Dobrze ubita. Tylko czasami zdarzają się jakieś wertepy. No ale przecież masz napęd na dwie osie, więc nie powinieneś mieć z tym żadnych problemów. Nie wiem, ile to dokładnie było kilometrów... gdzieś około... dwadzieścia kilka. Nam to w każdym razie zajęło niecałą godzinę. Ale zaoszczędziliśmy ponad trzydzieści minut w stosunku do normalnej trasy. Jak wyjedziesz z lasu na asfalt, to później w prawo i prosto do celu. Chwaliłeś mi się jakiś czas temu, że masz w standardzie również nawigację satelitarną, więc jakbyś miał jakieś problemy, to kieruj się po prostu cały czas na południowy wschód. Nie skręcaj w żadne boczne odnogi. Jedź tym głównym szlakiem. Uwierz mi, nie ma tam żadnych większych rozgałęzień.

– Dzięki, może skorzystam – Karol machnął ręką na pożegnanie i wyszedł.

4.
Na stacji

Amanda nie zwracała uwagi na upływający czas. Przyzwyczajona była do tego, że kiedy tylko Karol oddawał się pracy, zapominał zupełnie o całym świecie – również i o niej, niestety. Rozkoszowała się ulubioną muzyką płynącą z wyśmienitego systemu Dolby Surround fabrycznie zainstalowanego w samochodzie. Siedziała z przymkniętymi oczami, opierając wygodnie głowę o zagłówek fotela. Mimowolnie wodziła dłońmi po brzuchu – co, odkąd zaszła w ciążę, niezmiernie ją uspokajało. Powtarzała szeptem, równo z wokalistą, słowa piosenki:

Napłynęły oczy łzami,
Zamazując widok w dali,
Na kotwicy w ruchu stali,
Długość ręki – długość fali.

W porcie życia to mniej boli,
Bez upadków i bez wzlotów,
Bez piekącej w oczy soli,
Bez piętrzących się kłopotów.

Jednak popatrz, tam w oddali
Wszyscy oni tacy mali
Może zginą… Jednak płyną,
Słowa o nich nie przeminą.

Lepiej zardzewieć niż zatonąć?
Niż odurzyć się z polotem
na bezdechu w życia topiel?
Sól się zmyje – a rdza zostanie.

Ich hymn, który miał prowadzić ją i Karola przez życie i nie pozwolić im zarzucić kotwicy na dłużej w żadnym miejscu. Już w trakcie studiów, podczas wielu szalonych i beztroskich eskapad po Polsce i Europie, obiecali sobie: będziemy podróżować, żyć pełną piersią, biorąc z życia jak najwięcej. Po uzyskaniu dyplomów, Amanda jako nauczycielka angielskiego miała przybliżać dzieciakom różnych nacji język Szekspira. Karol, z niezgorszą jego znajomością i uniwersalnym fachem architekta w ręku, miał równie łatwo jak ona znaleźć pracę w każdym miejscu, w którym wylądują.

Proza życia niestety bardzo szybko zweryfikowała jej marzenia. Staż, który Karol zaczął na ostatnim roku nauki, przerodził się w ofertę pracy na tyle interesującą i absorbującą, iż zanim się spostrzegli, ich korzenie wrastały coraz mocniej w stołeczne miasto. Praca, mieszkanie, znajomi. A Warszawa przytłaczała Amandę. Nie ze względu na wielkość (w czasie swoich dotychczasowych eskapad czuła się dobrze w o wiele większych miastach), lecz z racji geograficznego położenia. Tam skąd pochodziła były góry. Mogła się wspiąć na dowolną z nich i zobaczyć kolejne. Świat wydawał się nie mieć końca – zupełnie jak podczas podróży – i zachęcał, by przeć naprzód, przed siebie. A stolica była płaska niczym patelnia. Z okna mieszkania, czy wychodząc codziennie na ulicę, nie widziała żadnego horyzontu. Miała przez to wrażenie, że poza tym miastem nie istnieje nic więcej. Że trafiła na koniec świata, i nie może już podążać dalej. I jeśli tu się nie uda żyć szczęśliwie, to nie uda się nigdzie indziej.

Karol szybko zapomniał o planach wiecznej tułaczki. „Przecież możemy podróżować podczas urlopów" – uspokajał jej narastający na zaistniałą sytuację bunt. Prawda, mogli. Tylko że Karol wiecznie pracował i sporadyczne, chaotyczne tygodniowe urlopiki były kroplą w morzu potrzeb Amandy. Zdawał się nie rozumieć, że materialny luksus, w którym z biegiem czasu, dzięki jego dobrze płatnej pracy, zaczęli się pławić, nie był tym, czego oczekiwała.

W końcu zaczęła poważnie myśleć o zakończeniu związku, albo przynajmniej o zrobieniu dłuższej przerwy, po to, aby Karol wreszcie przejrzał na oczy, by się przebudził i przypomniał sobie, czym miało być ich wspólne życie, jak miało ono wyglądać. Po pewnym czasie wpadła jednak na mniej radykalny pomysł. Zbyt mocno kochała Karola, aby tak po prostu wszystko pomiędzy nimi zakończyć. Natychmiast połączyła myśl o chwilowej separacji z pragnieniem podróżowania. Zaczęła pracować jako opiekunka podczas wakacyjnych obozów językowych w Wielkiej Brytanii.

Był to jednak środek zastępczy, ledwie połowiczny. A ona potrzebowała zmiany radykalnej. I stało się: zaszła w ciążę. Nagle wszystkie sztormy, którymi szargany był jej wewnętrzny ocean chwilowo ustały. Zapragnęła bezpiecznego schronienia. Zaczęło liczyć się tylko dobro dziecka.

Jednak nie zapomniała. Realizację marzeń odłożyła jedynie w czasie.

– Wybacz, kochanie – Karol wyrwał Amandę z zamyślenia, pakując się energicznie do samochodu. – Trochę się to wszystko przedłużyło.

– Jak zwykle.

– Proszę, nie zaczynaj znowu.

– Czego mam znowu nie zaczynać?

– Dobrze wiesz, czego.

– A ty wiesz?

– Wiem. Zatem nie drążmy ponownie tego samego tematu. Jedźmy już. Nie mam ochoty o tym rozmawiać. Przecież wiesz, że robię to wszystko dla nas!

– Dla nas…?

– A niby dla kogo?!

– Nie unoś się, bo jeszcze przestawisz jakiś samochód – powiedziała, dotykając ramienia męża, po czym zatopiła wzrok w mijanych za oknem nielicznych bryłach zaparkowanych samochodów.

– Uwierz mi, to była naprawdę ważna rozmowa – Karol wyjechał z parkingu na Aleję Jana Pawła II i skierował się na południe. – Kto wie, może właśnie nastąpił przełom, na który tak ciężko pracowałem.

– Karolku, głupolu, przełom to ty będziesz miał za kilka dni. Chociaż nie powiedziałabym, że ciężko na to pracowałeś – uśmiechnęła się zawadiacko, chcąc rozluźnić atmosferę.

– Nie powiesz mi chyba, że nie miałem w tym żadnego udziału? – zarechotał oburzony. – Wam kobietom wydaje się, że nam to przychodzi od tak, bez wysiłku.

– A nie? – zaśmiała się nerwowo.

– Wiesz, czego pragnę?

– Czego?

– Zamiany. Abyś poczuła, jak ciężko być obecnie, w sfeminizowanym społeczeństwie, mężczyzną.

– Teraz? – skierowała wzrok na swój ciężarny brzuch.

– Nie no... Lepiej nie – spokorniał.

– Więc zamilcz – rozczochrała mu włosy, niczym matka nierozeznanemu jeszcze w świecie dorosłych synowi – i ciesz się ze swej prymitywnej męskiej natury.

Opuszczali powoli Warszawę, pędząc gęsto zabudowanymi wszelkiej maści centrami handlowymi południowymi przedmieściami miasta. Karol uśmiechał się pod nosem, zerkając od czasu do czasu na Amandę. Ta z kolei wlepiła wzrok w szybę, zatapiając się w rozmyślaniach wyraźnie zasmucona.

***

– Nasza płyta – Karol nawiązał do muzyki rozbrzmiewającej z samochodowych głośników. – Jesteś naprawdę niesamowita. Nigdy nie zapominasz jej zabrać, gdy wybieramy się w jakąś podróż.

– To nazywasz podróżą?

Przemilczał wyrzut Amandy. Przez ostanie kilkanaście minut nie odezwali się do siebie słowem i kiedy w końcu postanowił nawiązać dialog, szybko pożałował, że w ogóle otworzył usta. Już lepiej było milczeć. Im bliżej było porodu, tym bardziej była nieobliczalna.

– Karol, obiecaj mi! Powiedz, że to zrobimy. Że pojedziemy gdzieś na dłużej. Mieliśmy zwiedzić Azję. Pamiętasz? Indie, Nepal, Tajlandia, Kambodża. Ty zawsze chciałeś zobaczyć Chiny i Japonię.

– Rozmawialiśmy już o tym. Teraz najważniejsze jest dziecko.

– Dziecko to żadna przeszkoda. Wystarczy, że trochę podrośnie. Wiesz, ilu ludzi podróżuje z małymi dzieciakami? Już nawet z rocznymi. A dwuletnie to już super towarzysz.

– To nie takie proste.

– To jest bardziej proste, niż ci się wydaje. Mówiłam ci już. Nie musimy rzucać pracy. Weźmiemy bezpłatne roczne urlopy. Albo olać pracę. Wyjedźmy na kilka lat. Przecież z naszym wykształceniem i praktyką bez problemu znajdziemy sobie nową, kiedy wrócimy. Mamy już trochę pieniędzy na koncie. Do czasu wyjazdu uzbieramy brakujące środki. Auto podnajmiesz jakiemuś znajomemu lub sprzedasz. Mieszkanie wynajmiemy. Jak nic, dodatkowe trzy tysiące co miesiąc. Tylko ty, ja i Adaś. Pomyśl, ile zdobędziesz inspiracji po takiej wyprawie. Wiesz, jak to cię rozwinie i pomoże w dalszej twojej karierze?

– W twoich ustach brzmi to tak banalnie.

– Bo to jest banalne.

– Tak ci się tylko wydaje. Roczna przerwa w moim przypadku to naprawdę spory kawał czasu. O rzuceniu tak dobrej firmy nie ma nawet mowy. Może ktoś przyjdzie na moje miejsce i po powrocie będę miał problemy z ponownym wstrzeleniem się. Wiesz, jak ciężko pracuje się na tak wysoką pozycję, jaką aktualnie osiągnąłem. Uwierz mi, jest wielu ludzi, którzy z miłą chęcią zajęliby moje miejsce. Możliwe, że znowu będę musiał zaczynać od jakichś małych projektów. Jeśli w ogóle dadzą mi taką szansę i przedłużą ze mną umowę, a nie zwolnią przy pierwszej nadarzającej się okazji. To zbyt wielkie ryzyko.

– Kto nie ryzykuje, ten nie żyje. Pamiętasz to jeszcze? Pamiętasz, jak łapaliśmy autostopy na chybił trafił? W zależności od tego gdzie jechał ten, kto nas zabierał, tam i my jechaliśmy. Tygodnie beztroski, bez zielonego pojęcia gdzie jesteśmy i dokąd zmierzamy. Przypomnij sobie, ile wtedy odkryliśmy miejsc, o których wcześniej nawet nie słyszeliśmy.

– Teraz jest inaczej.

– Jest i będzie tak, jak my zadecydujemy.

– Tak, masz rację. I zadecydowaliśmy. Ja cię do życia w Warszawie nie zmuszałem. Dziecka na siłę też ci nie zrobiłem.

– Dobra, nieważne – zwątpiła w końcu, nie widząc sensu dalszej rozmowy: rozmówca pozostawał niewzruszony. – To jałowa dyskusja. Zatrzymaj się na jakiejś stacji, chce mi się pić.

– Dobrze, i tak muszę zatankować.

Karol długo nie szukał. Po około dwóch kilometrach zjechał z głównej drogi i skierował się na zajezdnię stacji benzynowej. Podjechał pod sekcję z dystrybutorami paliwa. Amanda jako pierwsza odpięła pas i wyszła z samochodu. Nie czekając na męża, udała się do sklepu. Zanim zniknęła w jego wnętrzu, Karol był już na zewnątrz przy podajniku. Odkręcił korek wlewu paliwa i sięgnął po pistolet z oznaczeniem ON. Stał oparty lewą ręką o bryłę swojego srebrnego kia, zerkając co jakiś czas kontrolnie na przeskakujące cyfry na liczniku dystrybutora.

Przy sąsiednim stanowisku zatrzymał się biały kabriolet. Siedząca od strony pasażera wysoka, szczupła brunetka o krótko ściętych włosach, w obcisłym białym podkoszulku bez ramiączek z mocno wyciętym dekoltem oraz równie obcisłych długich niebieskich dżinsach, z gracją wydostała się z ciasnego wnętrza pojazdu i pomknęła do sklepu przy stacji.

– Chciałaś Pepsi czy Colę?! – krzyknęła do towarzyszki, stojąc już jedną nogą w sklepie.

– Obojętne, byleby zimne – odpowiedziała długowłosa blondynka, której wyjście z samochodu sprawiło już trochę więcej problemów.

Karol z zainteresowaniem oglądał gimnastykę krótkich dżinsów, ledwie zakrywających pośladki, co rusz wypinanych w jego stronę. Przy ostatniej figurze blondynka tak się nachyliła, że ukryte pod zieloną bluzeczką piersi o mało nie ukazały się światu w całej swej okazałości.

– Niezły upał, nieprawdaż? – zagadnęła dziewczyna.

– To fakt – odpowiedział Karol, nieumiejętnie uciekając wzrokiem od dekoltu blondynki. – Całkiem gorąco jak na wrzesień.

– Musi mieć niezły apetyt.

– Słucham?

Nie zrozumiał słów towarzyszącej mu kobiety. W jego odczuciu zabrzmiały one bowiem jak: „masz na mnie apetyt?".

– Twój samochód. Musi nieźle palić – powtórzyła w zmienionej już formie.

– Twój też nie wygląda na preferującego paliwową dietę.

– No wiesz… to zależy, jak często i gdzie się ruszasz.

Karol wlepił w nią osłupiałe spojrzenie. Kobieta nie mogła przecież powiedzieć: „to gdzie chcesz mnie wyruchać?".

Zakończył tankowanie. Spuścił palec z cyngla, delikatnymi uderzeniami lufy o obręcz wlewu strzepnął ostatnie krople paliwa i odwiesił węża z powrotem na dystrybutor.

– No nie... – westchnęła załamana. W jej słowach więcej było jednak kiepskiego aktorstwa niż prawdziwego zawodu. – Znowu mam kłopot z tym wlewem. Pomożesz mi? – wskazała błagalnie na swój samochód.

Przejął kluczyk od kobiety i bez problemu odkręcił korek. Następnie odstawił go na tylną maskę, nie wyjmując z niego klucza.

– Proszę. To nie jest trudne. Mogę ci pokazać jeszcze raz, jeśli chcesz.

– Po co się użerać, jak można poprosić o pomoc jakiegoś miłego, przystojnego dżentelmena. Po prostu nie ma to jak facet. Duzi chłopcy lubią przecież wielkie maszyny – uśmiechnęła się zalotnie.

– Mylisz się. Mali chłopcy lubią duże maszyny. Duzi chłopcy lubią piękne dziewczyny – rzucił w jej stronę na odchodne i ruszył do sklepu zapłacić za paliwo.

Nie obejrzał się już za siebie. Wolał uruchomić swoją wyobraźnię... Zobaczył, jak jego ostatni tekst zwala nieznajomą z nóg, sprawiając, iż ta po chwilowym oszołomieniu rzuca się pędem za nim, chwyta go za rękę, a następnie zaciąga do toalety na tyłach stacji. Po krótkiej chwili zaniepokojona nieobecnością kompanki brunetka udaje się na jej poszukiwania i odnajdując ją w jednej z kabin toalety w mocno niedwuznacznej sytuacji, bez zbytniego owijania w bawełnę dołącza do orgii z pełnym przeświadczeniem, iż jej blond koleżanka dokonała najlepszego wyboru z możliwych. O tym obydwie z pań przekonują się na własnej skórze, jęcząc w jego objęciach w ekstazie, jakiej jeszcze nie zafundował im żaden inny mężczyzna.

Poderwać głupiutkie lafiryndy... Czy może być cos łatwiejsze-
go? W wyobraźni Karola nie było.

Wszedł do klimatyzowanego pomieszczenia sklepu i odszukał Amandę.

– Chcesz coś ciepłego do jedzenia? – zapytała, kiedy tylko
dołączył do niej przy półkach ze słodyczami.

– Nie. Wezmę sobie kilka batoników i jakąś pakowaną
bułkę.

– Dobrze, więc zapłać. Ja idę jeszcze do toalety – odpowiedziała, przekazała mu nagromadzone produkty i wyszła
na zewnątrz.

Co by było, gdyby Amanda weszła do toalety i usłyszała
pojękiwania rozkoszy, przez które przebijałby się znajomy męski głos? Z pewnością, pełna ciekawości i lęku zarazem, otwo-
rzyłaby drzwi kabiny. A widok, jaki ukazałby się jej oczom...
Nie... Po stokroć nie! Już sama myśl o tym sprawiała mu nie-
zmierny ból. Nie mógłby jej tego zrobić. Zwłaszcza teraz, kiedy jest w ciąży. To mogłoby zaszkodzić i jej, i dziecku. Nie potrafiłby jej skrzywdzić. I tu nawet nie chodziło wcale o to, że
straciłby ją na zawsze. Nie przełknąłby łez jej cierpienia. Zbyt
mocno ją kochał.

Stanął w kolejce za brunetką z białego kabrioletu, która,
oparta o blat lady, prowadziła flirt z opryszczonym młokosem
po drugiej stronie. Przybrane w zmysłową barwę słowa o nie-
bezpieczeństwie pracy na stacji benzynowej, zwłaszcza w nocy,
w połączeniu z półnagim biustem wycelowanym wprost w rozmówcę skutecznie odwracały jego uwagę od kasy. Wzrok szczy-
la non stop zanurzał się w dekolcie brunetki. I choć próbował
zapanować nad oczami, i nakazać im śledzenie wybijanych na
monitorze cen, one wciąż nieposłuszne wędrowały ku ponęt-
nym wabikom.

Karol nie miał tego problemu co młodzieniec. Mimo że wypięte w jego stronę pośladki brunetki aż prosiły się o zainteresowanie, bez problemu odrzucił ich nawoływania. Nie był już jakimś nieopierzonym małolatem, miał silną wolę i daleko mu było do tego, aby nabierać się na takie prymitywne zagrywki. Wpatrywał się z uporem maniaka w wyeksponowane po drugiej stronie lady butelki z drogim alkoholem, studiując ich ceny. Nachylona pod kątem czterdziestu pięciu stopni tafla lustra ponad najwyższym rzędem whisky ukazała mu jednak to, co tak niewoliło młodzieńca. Skierował zatem wzrok gdzie indziej. Skupił się na ladzie i krążącymi pomiędzy dłońmi kobiety i chłopaka pieniędzmi. Zauważył, że chłopak przy wydawaniu reszty pomylił się o prawie dwadzieścia złotych na swoją niekorzyść. Jeżeli to było głównym celem brunetki, to rozegrała partię zalotów po mistrzowsku.

Kiedy kobieta odeszła od kasy, nie odwrócił się za nią ani też nie wyjrzał przez okno – co zresztą zrobił sprzedawca, wodząc wzrokiem za zgrabnym tyłeczkiem dziewczyny do momentu, aż wsiadła do samochodu, którym wraz ze swoją blond towarzyszką odjechała z piskiem opon. Karol wpatrywał się z pobłażaniem w młodzieńca. Po chwili oczy dwóch samców spotkały się.

Brązowe oczy chłopaka powiedziały: „Widziałeś, gościu, jak na mnie patrzyła. Była tak napalona, że na pewno tu wróci. Kwestią czasu jest, że ją przelecę. W jej lub w moim samochodzie, a nawet w kiblu – dla mnie to bez różnicy". Karol uśmiechnął się współczująco, a jego niebieskie oczy odpowiedziały: „Głupi biedaku, byłeś tylko pionkiem w jej grze. Tańczyłeś, jak ci zagrała. A tylko figura, taka jak ja, może coś więcej ugrać. Gdybym tylko chciał, byłaby moja, obie byłyby moje. Niestety, nie mogę sobie na to pozwolić".

5.
Amanda śni

Leżała na sali porodowej. Mocne światło świetlówek zawieszonych u sufitu raziło ją w oczy. Coraz dotkliwsze, bolesne skurcze przeszywały ciało. „Dlaczego to cholerne znieczulenie nie działa. Znieczulenie, więcej znieczulenia!" – wołała. Jednak jej krzyk odbijał się głucho i bez żadnego odzewu po pustej sali. Uniosła głowę. Była przygotowana do porodu. Rozszerzone, ugięte nogi przysłonięte były niebieskim prześcieradłem. Opadła z powrotem na poduszkę. „Boli, o jak strasznie boli. Karol, gdzie jesteś?". Powinien teraz trzymać ją za rękę i pocieszać, dodawać jej otuchy, głaskać ją po głowie i szeptać do ucha: „Wszystko będzie w porządku, jestem przy tobie. Nim się obejrzysz, będzie po wszystkim. Zobaczysz". Ale nie, ponownie zostawił ją samą. Zapewne ma ważniejsze zajęcia: siedzi w pracy nad planami kolejnego centrum handlowego. Dla niego liczy się tylko praca. Ona, Amanda, jest dodatkiem do życia. Służącą, kucharką i kochanką, a teraz będzie matką jego dziecka. „Karol, proszę, nie rób mi tego! Obiecałeś, że będziesz przy mnie. Za te godziny, dni i miesiące, które ominąłeś. Za to, że nie przeżywałeś razem ze mną tego okresu ciąży, kiedy rozwijało się we mnie nasze wspólne życie. Za to, że nie było cię przy mnie, kiedy pierwszy raz Adaś poruszył się w brzuchu. A teraz znowu cię nie ma, kiedy dochodzi do największego z cudów. Co będzie później? Też cię przy nas nie będzie? Nie usłyszysz pierwszego słowa? Nie zobaczysz pierwszego kroku? Nie nauczysz syna sznurować butów? Nie nauczysz go jeździć na rowerze? Nie pomożesz mu przy zadaniach z matematyki? Nie przeżyjesz z nim jego pierwszej miłości? Przy czym cię jeszcze nie będzie?!"…

Nagle w sali, ni stąd, ni zowąd, pojawili się ludzie.

„Niech pani prze" – doszedł ją głos doktora zza niebieskiej przysłony. „Mocniej, Amando, mocniej. Widać już główkę" – wtórowała asystująca pielęgniarka. „Świetnie, tak świetnie" – zachęta doktora. „Dobrze, tak dobrze" – wsparcie pielęgniarki. Amanda zaciskała mocno zęby i dłonie. Skurcze się nasilały, były coraz mocniejsze, ból stawał się nie do zniesienia. Nagle poczuła ciepło ludzkiego ciała. Bliskość drugiej osoby. Tak potrzebną, tak kojącą. To matka trzymała ją za rękę. „Już dobrze, jestem przy tobie" – pocieszała córkę. Nagle wszystko minęło. Nastała błoga cisza. Stan bez czucia. Jakby lewitacji. Bezwładnego zanurzenia w oceanie życia. I w końcu płacz dziecka rozchodzący się po całej sali. Mocny krzyk: zwiastun nowego istnienia. Ta najwspanialsza chwila w życiu kobiety – już matki. „Niech ktoś wezwie księdza. Na miłość boską" – nerwowe słowa doktora. „W imię Ojca, i Syna, i Ducha Świętego" – przerażenie pielęgniarki. „O Boże, córeczko, nie patrz". Amanda się szamotała. Chciała zobaczyć. „Oddajcie mi moje dziecko". Usiadła energicznie, zrywając prześcieradło z kolan. „Nie! Boże, nie! Karol! Karol!".

– Karol!

– Spokojnie, Amando, to tylko zły sen – złapał ją za dłoń, mocno ściskając, aby oprzytomniała.

Amanda, ciężko dysząc, wodziła błędnym wzrokiem, wyłapując otaczające ją elementy rzeczywistości: samochód, Karol, droga, pola za szybą. Podróż – jedzie do matki.

– Znowu miałam ten okropny sen – wypowiedziała drżącym głosem. – Gdybyś to widział… wszystko było takie realne.

Wszystkie uczucia tak namacalne. I Adaś tak zniekształcony. Tak skrzywdzony.

– Kochanie, przecież wiesz, że to nieprawda. Nie ma najmniejszych szans, aby coś takiego wydarzyło się w rzeczywistości. Mamy wyniki badań. Prześwietlenia. Zrobiliśmy wszystko, co niezbędne, aby mieć pewność. Urodzisz pięknego, zdrowego syna.

– A ty?

– Co ja?

– Ciebie w nim znowu nie było.

– Podobno w snach wszystko jest na opak.

Karol docisnął pedał gazu, wyprzedzając wlokącą się przed nimi ciężarówkę wyładowaną jabłkami.

– Obiecaj mi, że będziesz przy porodzie – poprosiła nie pierwszy raz Amanda.

– Obiecuję. Przyjadę dzień przed terminem. Omówiłem już wszystko z Piotrem. Sam jest ojcem, więc dobrze to rozumie. Na sto procent dostanę wolne na kilka dni. Bądź spokojna.

Zapewnienia Karola zadziałały na nią niezwykle kojąco. Rozluźniła się, wyraźnie uspokojona. Otworzyła paczkę z chrupkami serowymi i skierowała ją pod nos kierowcy – odmówił, wciąż trawiąc jej słowa.

Lęk Amandy uwłaczał mu, umniejszał jego rolę. W końcu pragnął być jej obrońcą, kimś, przy kim będzie czuła się bezpiecznie. Chciał z dumą dzierżyć tytuł prawdziwej głowy rodziny. A sposób, w jaki ucięła rozmowę, jakby mu nie wierzyła na słowo, mierził go. Rzecz nie dawała mu spokoju. Drażniła go na równi ze zbyt głośnym odgłosem jej chrupania, od którego aż przechodziły go ciarki. W końcu nie wytrzymał kombinacji napastujących go myśli i uporczywego hałasu:

– Ja naprawdę zrobię wszystko, aby być przy tobie, gdy będziesz rodzić. Dobrze wiesz, że nie jestem zwolennikiem twojego wyjazdu w rodzinne strony. Mimo wszystko w Warszawie mają lepsze szpitale.

– Ty znowu swoje – westchnęła zrezygnowana.

– Bo nie daje mi to spokoju. To tak, jakbyś mi nie ufała. Nie czuła się przy mnie bezpieczna. To mnie rani.

– Przykro mi, jeśli tak to odczuwasz.

– Zrobiłem wszystko, aby się uwinąć z tym projektem do twojego porodu. A ty tak mi się odwdzięczasz. Dlaczego twoja matka nie może przyjechać do nas? Może chyba zostawić twojego ojca samego na jakiś czas. Będzie jadł zupy z torebki. Nie umrze. W końcu był wojskowym i radził sobie w o wiele trudniejszych sytuacjach.

– Wiesz, że jest chory.

– Chory… ale wystawać godzinami z tymi dziadami pod delikatesami to ma zdrowie. Ale jak ma coś zrobić, to nagle wszystko go napierdala!

– Karol! – wrzasnęła oburzona.

– Przepraszam.

– Nie ma o co kruszyć kopii, głuptasie. Już tego nie zmienisz. Podjęłam decyzję. –Amanda dotknęła czule prawego policzka męża, by po chwili mierzwić palcami delikatny zarost pokrywający jego podbródek.

– Twoje palce zalatują serem – zaśmiał się.

– Tak? Zalatują, powiadasz… To co powiesz na to? – Przyłożyła palce tuż pod jego nos.

– Przestań – uciekł głową w bok. – Nie widzisz, że prowadzę.

Dla bezpieczeństwa odstąpiła od dalszej prezentacji walorów zapachowych spożywanego posiłku. Wciąż jednak trzymała dłoń blisko twarzy kierowcy i straszyła go, rozczapierzając szpony w geście ataku. Po chwili przyłożyła palce do swojego nosa i stwierdziła:

— Rzeczywiście. Te chrupki pachną gorzej niż smakują. No trudno, będę oddychać ustami.

Powiedziawszy to, powróciła do pałaszowania serowej strawy.

— Coś mi się wydaje, że zabrałaś za mało picia — zauważył Karol.

— Trochę mało — wstrząsnęła opróżnioną do połowy butelką soku pomarańczowego. — Najwyżej zatrzymasz się jeszcze raz przy jakiejś stacji. I tak niedługo będę musiała zrobić siku.

***

Mknęli przed siebie, pokonując kolejne kilometry. Karol nie odczuwał większego zmęczenia, mimo sporego dystansu, blisko dwustu kilometrów, jaki mieli już za sobą (przed sobą mieli prawie tyle samo). Regularnie robił przerwy na rozprostowanie kości — kilka przysiadów i głębokich wdechów.

Amanda tylko raz wyszła z samochodu podczas jednej z takich rutynowych gimnastyk i pomknęła w głąb lasu za potrzebą. Nie wychodziła z ciemnego boru przez dość długą chwilę, co na tyle go zaniepokoiło, iż krzyknął za nią kilkakrotnie. Ta jednak nie odpowiedziała na ani jedno jego zawołanie. Był już gotowy puścić się w ślad za nią, gdy pojawiła się z powrotem. Z grzybem w ręku. Według skromnej wiedzy Karola — na sto procent trującym, co jednak w ogóle jej nie zraziło i mocno obstawała, aby go zatrzymać do kontroli przez jej ojca. Stanęło na zdaniu Karola — grzyb wylądował w przydrożnym rowie.

– Widziałam, jak na nią patrzyłeś – wypaliła niespodziewanie, nie otwierając nawet oczu.

– O czym ty mówisz? – zmieszał się.

– O tej blond lasce ze stacji benzynowej. Śliniłeś się jak dzieciak.

– Poprosiła o pomoc. Tylko tyle.

– Nie ściemniaj, rozmawialiście już wcześniej. O czym?

– Czy mi się wydaje, czy ty jesteś zwyczajnie zazdrosna?

– Nie odwracaj kota ogonem. O czym? – naciskała.

– O pogodzie.

– Jakie to pospolite: o pogodzie – parsknęła oburzona.

– Nie bądź sarkastyczna.

– Było jej za gorąco? Mogła się rozebrać, ale już chyba nie miała za bardzo z czego.

– Teraz ironizujesz.

– A chcesz zobaczyć, jak jestem wkurzona? – Oderwała się od fotela i wlepiła w Karola rozgorączkowane spojrzenie.

– Proszę, przestań. Pomogłem jej tylko odkręcić wlew paliwa.

– A co, nie potrafiła sama?

– Widocznie nie.

– Boże, czasem jest mi głupio, że jestem blondynką.

– Nie rozumiem, do czego zmierzasz?

– Myślisz, że nie widzę, co się dzieje. Jesteś facetem. Masz swoje potrzeby.

– Amanda, proszę… Po cholerę zaczynasz ten temat?

– Mam tylko nadzieję, że nie zrobiłeś do tej pory jakiegoś głupstwa.

– Przestań fantazjować. Przecież wiesz, że nie mógłbym.

– Powiedziałbyś mi, prawda? Nie potrafiłbyś żyć w kłamstwie… – Łzy zbierały się jej w kącikach oczu.

– Nie miałbym ci o czym mówić. Nie potrafiłbym cię zdradzić. Koniec, kropka.

– Ale na pewno o tym myślisz, co?

– Boże, co cię napadło?!

Zjechał na pobocze i zatrzymał samochód.

– Nic. Jedź dalej. Tak tylko gadam – zamknęła nagle temat.

Przetarła załzawione oczy i jakby nigdy nic, powróciła do poprzedniego wygodnego położenia. Na powrót rozłożyła się rozkosznie w wyprofilowanym fotelu, zamknęła oczy, wzbogacając układ nowym elementem: okrężnymi ruchami dłoni po brzuchu.

6.
Skręt w prawo

Na wyświetlaczu nawigacji satelitarnej stuknął trzechsetny kilometr. Byli od ponad pięciu godzin w drodze. Słońce wyraźnie zaczęło podróż po zachodnim widnokręgu nieba. Karol nie szarżował na drodze. Jechał tak, jak na to pozwalały warunki. Kiedy był zmuszony wyprzedzić inny pojazd – wyprzedzał. Kiedy pusta i prosta zarazem szosa zachęcała do szybszej jazdy, gwarantując jednocześnie bezpieczeństwo – przyspieszał. Kiedy jednak zaczynały się ostre zakręty i widoczność tego, co znajduje się przed nimi, była mocno ograniczona – zwalniał.

Takim był człowiekiem: nigdy niepotrzebnie nie ryzykował – zwłaszcza za kierownicą. Zginąć w wypadku samochodowym, i to ze swojej winy, pociągając za sobą innych? To zdecydowanie nie mieściło mu się w głowie. Pragnął umrzeć śmiercią naturalną, dożywszy sędziwego wieku. Chciał zestarzeć się wraz z Amandą, nie dostrzegając na jej twarzy upływającego czasu (ten zatrzymał się dla niego wraz z pierwszą ich randką i da o sobie znać tylko na wspomnienie tego, co było, uwiecznione kolorowymi obrazami na matowym papierze formatu dziesięć razy piętnaście). Liczył na to, że Adam pójdzie w jego ślady, że dane mu będzie służyć dzieciakowi dobrą ojcowską radą przy wyborze szkoły, studiów oraz przy pierwszych architektonicznych projektach – tak jak robił to w stosunku do niego jego ojciec przed śmiercią spowodowaną nagłym zawałem serca. No i to co najbardziej rozgrzewało mu umysł i ciało: osiągniecie wszystkich swoich zawodowych celów, aby w przyszłości, spacerując po ulicach Warszawy oraz innych miast Polski i Europy, mógł powiedzieć potomnym: to zaprojektował twój ojciec, dziadek. I kiedy nadejdzie jego dzień, odejść w spokoju, ze świadomością dobrze wykonanego zadania, bo pamięć o nim nie zginie, żyjąc zapisana złotymi zgłoskami w szyldzie „Matlak i Syn".

***

– Nie za długo już za nami jedzie? – Karol przerwał bardzo długi okres ciszy, podczas którego Amanda na przemian to przysypiała, to znów leniwie podziwiała roztaczające się za oknem nieokiełznane przestrzenie pól uprawnych i lasów.

– Kto?

– Policja. Nie mów, że nie zauważyłaś.

Amanda spojrzała za siebie. Rzeczywiście, w odległości ponad dwustu metrów ciągnął się za nami samochód przypominający kolorystyką oraz budową policyjny radiowóz.

– Jesteś pewien, że to policja? Może to tylko taxi?

– Tak, jestem pewien. Zwróciłem na niego uwagę, gdy był zdecydowanie bliżej.

– Przeskrobałeś coś?

– Nie, raczej nie. Czasem wcisnąłem mocniej gaz, ale bez przesady.

– No więc nie masz się czego obawiać. Przecież jakbyś miał coś na sumieniu, toby nas od razu zatrzymał.

– To fakt.

– Zatem skup się na drodze, a nie na wstecznym lusterku, bo za chwilę rzeczywiście dasz im powód do interwencji. – Odkręciła butelkę z sokiem i napiła się, pozostawiając na dnie trochę dla kierowcy. Kiedy ten jednak nie wyraził najmniejszego zainteresowania jej ofertą, skupiony na obserwowaniu wlokącego się za nimi ogona, dopiła sok do końca.

– Ciekawe, jak długo tak się za nami ciągnie?

– O co ci chodzi?! – spojrzała na niego rozłoszczona. – Pięć minut czy godzinę, co za różnica ile?

– Nie uważasz, że to dziwne, że tak za nami jedzie?

– Może nigdzie mu się nie śpieszy. Skończył służbę albo nie ma nic lepszego do roboty. Rozejrzyj się wokoło: na drodze pustki, poza tym las i pola.

Mimo logicznych wyjaśnień ze strony żony, Karol odczuwał lekki dyskomfort. Analizował w głowie ostatnie kilometry, próbując przypomnieć sobie, czy nie złamał czasem jakiegoś przepisu. Możliwe, że w którymś momencie balansował na granicy prawa, wzbudzając tym samym zainteresowanie stróża porządku. Nie na tyle jednak, aby dać mu niepodważalny pretekst do zatrzymania, czym na tyle go rozjuszył, iż teraz ten wlecze się za nim – nie wiadomo od jak dawna i jak długo jeszcze – i czeka, aż Karol nie wytrzyma tej narastającej presji i popełni w końcu jakiś karygodny błąd. Od swoich bardziej zaprawionych w podróżach służbowych kolegów z pracy słyszał bardzo wiele historii o tego typu polowaniach na mandaty. Postanowił sprawdzić, czy i on czasem nie stał się taką właśnie zwierzyną.

Przyspieszył nagle – do dopuszczalnej górnej granicy prędkości – po chwili zwolnił, obserwując zachowanie jadącego za nim pojazdu. Powtórzył manewr kilkakrotnie. Radiowóz trzymał jednak wciąż ten sam dystans.

– Śledzi nas – zakomunikował w końcu odkrywczo.

– Boże… ty masz chyba jakąś paranoję.

– Nie mam żadnej paranoi. Sprawdziłem, śledzi nas.

– Dobrze, niech ci będzie: śledzi nas. Przynajmniej nic nam nie grozi. Nigdy nawet nie marzyłam, że kiedykolwiek będę mieć prywatną policyjną eskortę – poirytowana Amanda próbowała obrócić całą sytuację w żart. – Kto wie, może dowiedział się, że jestem w ciąży i chce, bym bezpiecznie dotarła do celu?

– Albo zbiera na wyprawkę dla dzieciaka.

– Zatrzymaj się na jakiejś stacji benzynowej. Wtedy sprawdzisz, czy masz rację – wyraźnie kończyła się jej już cierpliwość do męża. – A przy okazji kupimy coś do picia.

Karol jednak wpadł na lepszy pomysł. W momencie, w którym mignęła mu po prawej stronie tablica z nazwą Mordarka[3], spojrzał odruchowo na ekran nawigacji: 314 km. Następnie zwolnił i skręcił w prawo tuż przy kapliczce z wizerunkiem Jezusa Chrystusa.

– Tak też może być. Przeczekamy go.

---

3. Wieś Mordarka w rzeczywistości położona jest w powiecie limanowskim, woj. małopolskie, i nie ma nic wspólnego z opowiadaną historią. Przytoczono tę nazwę jedynie po to, aby zatuszować prawdziwą lokalizację skrętu.

Decyzja Karola wydała się jej równie dobra jak jej propozycja. A nawet lepsza, gdyż o wiele szybciej wyprowadzi go z błędu.

– Aha – przytaknął.

– Dlaczego zatem jedziesz dalej?

– To jest skrót – zakomunikował.

– Jaki skrót? Nic mi o nim nie wiadomo. Pierwszy raz nim jadę.

– Piotr mi o nim opowiedział.

Karol wpatrywał się w lusterko, czekając na pojawienie się radiowozu. W końcu dostrzegł srebrno-niebieski samochód terenowy, który zatrzymał się przy skręcie.

– Widzisz? Nie myliłem się.

Amanda odwróciła głowę do tyłu.

– Może zatrzymał się, bo nie wolno tędy jeździć? – wolała nie dopuszczać do siebie myśli, że Karol mógłby mieć jednak rację, i na siłę szukała jakiegoś w miarę sensownego wyjaśnienia.

– Można. Nie było zakazu.

– No to dlaczego tam stoi? – Pomimo początkowo mocno sceptycznej postawy dla urojenia męża, powoli zaczęła udzielać się jej jego psychoza strachu. Ucałowała srebrny medalik z wizerunkiem Matki Boskiej zwisający jej z szyi.

– Nie wiem. Ale to już nieistotne. Chyba odjeżdża.

Srebrno-niebieska terenówka ruszyła, wzbijając w powietrze kłęby piachu. I kiedy tylko dymna zasłona opadła, po prześladowcy nie było już śladu.

– Uff… – odetchnęła wyraźnie rozluźniona. – Pewnie pomyślał, że jedziemy na grzyby.

– Tak, albo na bzykanie – zażartował.

– Ha ha ha – zachichotała szyderczo i rozsiadła się z powrotem w fotelu. – Głodnemu chleb na myśli.

– O kim mówisz? O nim czy o mnie?

– Jak to o kim? A kto zaczepiał półnagie siksy na stacji?

Karol wolał przemilczeć zaczepkę. Skupił się na drodze. Terenowe zawieszenie samochodu bez kłopotu radziło sobie z lekkimi nierównościami. Trasa była na tyle dobra, iż bez większego problemu uczyniłby to samo samochód o znacznie niższym zawieszeniu od jego kii. Mimo tego jechał ostrożnie, omijając sporadyczne rozrzucone głazy czy większe koleiny.

– Na pewno wiesz, co robisz? Nawigacja szaleje – zwróciła uwagę na ciągłe graficzne komendy sugerujące, aby zawrócili z powrotem na główną drogę.

– To skrót. Nie ma go w systemie. Nie przejmuj się tym.

– „Nie przejmuj się", dobrze ci mówić. Najpierw gliniarz prześladowca, a teraz nieznany skrót, Bóg jeden wie, gdzie prowadzący. Wykończysz mnie nerwowo. Chcesz w tej dziczy odbierać poród? Na domiar złego cholernie zaschło mi w gardle, a sklepu tu raczej nie znajdziemy.

– Nim się obejrzysz, będziemy z powrotem na głównej drodze. Zobaczysz. Potraktuj to jak wycieczkę do lasu.

– Wybacz, ale zapomniałam ze sobą kocyka i wiklinowego koszyka z prowiantem.

– Chłoń te piękne widoki – puścił mimo uszu docinki ze strony żony. – Otwórz okno, poczuj to świeże powietrze. Jak chcesz, to się zatrzymamy na chwilę i pospacerujemy. Dawno nie byliśmy w lesie.

– Przestań. Czuję się jak w jakieś społecznej reklamie ekologów. Długi ten skrót?

– Króciutki. Trochę ponad pół godziny. Przeżyjesz. No to co, dalej się na mnie dąsasz?

– Jest pięknie.

7.
Domek w lesie

Zbliżało się późne popołudnie. Słońce było jednak wciąż dość wysoko zawieszone na zachodnim nieboskłonie, prześwitując jasnymi, rażącymi promieniami przez zielonożółtą koronę drzew. Amanda opierała głowę na prawym skraju zagłówka, pozwalając, aby ciepły jesienny wiatr, wdzierając się przez opuszczoną do samego dołu szybę, owiewał jej twarz, przeczesując przy okazji i włosy. Czasami, przy mocniejszym podmuchu, dochodził do niej – niezagłuszony jednostajnym pomrukiem pracy wysokoprężnego silnika samochodu – szum rozkołysanych liści.

Wyobrażała sobie, że właśnie są w dalekiej podróży. Nieograniczeni przez czas ani cel. Po prostu jadą jakimś kupionym za marne grosze gruchotem, zaopatrzeni w pokaźny arsenał prowiantu, martwiąc się jedynie o to, aby „Bzik 9" (tak bowiem ochrzciliby kolejny już w ich wyprawie samochód) nagle nie odmówił posłuszeństwa. Z tylnego siedzenia dochodził do niej kojący zmysły śmiech Adasia, bawiącego się plastikowymi figurkami komiksowych superbohaterów. Siedzący za kierownicą Karol wybijał palcami na kierownicy rytm ich hymnu. Luźna lniana koszula, krótko przystrzyżona gęsta broda i przeciwsłoneczne okulary – obraz Karola, który zachowała we wspomnieniach jeszcze z czasów studiów, tak inny od obecnego, sztywnego korporacyjnego dresscodu: czarny garnitur, biała lub kremowa koszula oraz twarz gładsza bardziej niż pupa niemowlęcia.

Samochód przyhamował niespodziewanie, ocucając Amandę z tworzonej imaginacji.

– Co do cholery? – jęknął z przejęciem Karol.

– No i co geniuszu? W którą teraz stronę? – pokiwała z niedowierzaniem głową. Główna droga, którą do tej pory jechali, rozwidlała się nagle na dwie niemal identyczne odnogi. – Masz swój wspaniały skrót.

– Miało nie być żadnych trudnych rozgałęzień. Piotr mówił, abym trzymał się głównego szlaku. – Karol zatrzymał samochód kilka metrów od rozwidlenia. – Nic z tego nie rozumiem. Są identyczne.

– Na pewno nie wspominał nic o tym miejscu? – zapytała z nadzieją. – Przypomnij sobie.

– Nie, nic.

– W takim razie zadzwoń do niego – zaproponowała.

Karol sięgnął po telefon znajdujący się w schowku centralnego kokpitu samochodu. Szybko jednak go odłożył.

– Co jest? – zapytała.

– Nie mam zasięgu.

– No to rewelacja… Ja też nie mam. – Cisnęła z powrotem swoją Nokię do torebki. Odwróciła ostentacyjnie głowę od męża, wlepiając wzrok w niekończący się gąszcz drzew.

Była na niego mocno wkurzona, i nie ukrywała tego. Najchętniej wyszłaby z samochodu, trzaskając z całej siły drzwiami, czym na pewno nieźle by go rozsierdziła, trafiając w jego czuły punkt: męski pietyzm wobec nowego mechanicznego cacka. Tak – uśmiechnęła się kwaśno pod nosem – z miłą chęcią grzmotnęłaby drzwiami tak mocno, aż wypadłyby z zawiasów. Wtedy może w końcu by się przebudził i zaczął słuchać tego, co ma mu do powiedzenia.

– Nie przesadzaj. Przecież nic się nie stało – postanowił zbagatelizować całą sytuację.

– Zawróć.

– No chyba zwariowałaś. Jesteśmy już w połowie skrótu.

– No to co proponujesz? Rzut monetą?

– Zaraz... poczekaj... Południowy wschód – przypomniał sobie nagle o wskazówce Piotra na wypadek kłopotów na trasie.

– Co? – bąknęła od niechcenia.

– Powinniśmy jechać na południowy wschód – powtórzył, przekonany, iż znalazł rozwiązanie obecnej, patowej sytuacji. Spojrzał na ekran nawigacji satelitarnej, odczytując kierunki stron świata. Obydwie trasy prowadziły jednak w tę samą stronę: na zachód.

– No i...? – dopytała się zniecierpliwiona.

– Wszystko w porządku. – To powiedziawszy, wrzucił funkcję *drive* na automatycznej skrzyni biegów, wcisnął lekko pedał gazu, po czym skręcił w lewe odgałęzienie.

Nie wspomniał jej o wyniku swojej kontroli oraz nie uzasadnił wyboru, jakiego dokonał. Nie chciał jej jeszcze bardziej niepokoić. Wiedział, że nie orientowała się zbyt dobrze w obsłudze nawigacji satelitarnej i z pewnością nie odczyta poprawnie informacji wyświetlanych na ekranie (chyba że będą to wyskakujące komunikaty lub uwagi), nie zwróci również uwagi na sam fakt, że jadą bardziej w kierunku zachodzącego słońca niż w przeciwną jego stronę. Liczył po cichu na to, iż nie zawiedzie go jego zmysł orientacji w przestrzeni. Z logicznego punktu widzenia, droga po lewej, ta którą wybrał, dawała przecież o wiele większą szansę odbicia w kierunku południowo-wschodnim niż trasa po prawej.

Chciał jak najszybciej zweryfikować swoje przypuszczenia, jechał zatem dość szybko, nie zawsze mając czas na poprawne odczytanie ukształtowania drogi, przez co często wpadali w koleiny głębokie niczym wilcze doły, naturalnie zamaskowane pod świeżą warstwą opadłych liści. Amanda nawet nie przeczuwała, że coś może być nie tak. Była przekonana, iż zmierzają w poprawnym kierunku, i już niedługo opuszczą las, wyjeżdżając na asfaltową drogę. Sądziła, że Karol gna na złamanie karku, ponieważ chce nadrobić stracony czas. Ze spokojem znosiła więc niedogodności podróży, od czasu do czasu zerkając tylko z dezaprobatą na kierowcę przy mocniejszym wstrząsie.

Po kilku minutach, tak jak spodziewał się tego Karol, droga zaczęła odbijać bardziej ku wschodniemu horyzontowi, aby w końcu wyrównać się wręcz idealnie z pożądanym kierunkiem. Zwolnił zatem, wyraźnie uspokojony. Chwilowe odprężenie, szybko jednak wyparowało – droga, ostrym skrętem, wyprowadziła ich w kierunku zachodnim. Ponownie przyspieszył, wypatrując z nadzieją znaczącego skrętu w lewo.

Zamiast spodziewanego skrętu ujrzał ukryty za drzewami po lewej stronie domek. Zwolnił i zatrzymał się tuż przy wjeździe do leśnej chatki.

– Dlaczego się zatrzymałeś?

– Popatrz w lewo.

– Jaki piękny – zapiała z zachwytu Amanda. – Myślisz, że ktoś tam mieszka?

– Jest bardzo zadbany, więc raczej tak.

– Istne cudo.

– Podjedźmy tam – zaproponował.

– Po co?

– Upewnimy się, czy dobrze jedziemy. Chociaż – dodał szybko, widząc zdziwienie Amandy – kto by mieszkał w środku lasu. Na sto procent niedaleko jest już główna droga oraz jakieś miasteczko. Poza tym wspominałaś, że chce ci się pić, a tam na pewno nas ugoszczą.

– Nie mam nic przeciwko. Chętnie rozprostuję nogi.

Zbliżając się do domku, Karol nie oczekiwał jednak żadnej gościny ani nawet krótkiej przyjacielskiej pogawędki – nie było na to czasu. Zależało mu tylko na jednym: uzyskaniu szybkiej wskazówki co do kierunku dalszej jazdy. Zatrzymał więc samochód tuż przy ganku chaty, wyłączył silnik i od razu wyszedł z samochodu. Amanda udała się w ślad za nim.

Stanęli, ramię w ramię, przed niebieskim drewnianym domem z otwartymi na oścież białymi okiennicami. Stare okna – również w kolorze białym – nie zdradzały żadnego znaku upływającego czasu: pokrywająca je farba była spękana tylko w nielicznych miejscach. Na parapetach wszystkich okien ustawione były okrągłe, gliniane doniczki z kwiatami. Dach pokryty był czerwoną dachówką cementową – po jego stanie, można już było odczytać kilkudziesięcioletnie zmagania z siłami natury. Niektóre dachówki były lekko uszkodzone, a całość, dzięki porastającemu mchowi i zgniłym liściom na skosach dachu, przyjmowała bliżej nieokreśloną kolorystykę. Pokrycie sprawiało jednak solidne wrażenie – będąc trwałą osłoną, zapewne na kres wielu jeszcze lat. Z prawej strony, równo z początkiem ganku, swój bieg zaczynał niski płot, który ogradzał dom niemalże dookoła. Parkan z różnokolorowych pali połączonych równie kolorowymi poprzeczkami wyznaczał teren ogródka, który mimo jesiennej pory wciąż bogaty był w różnego rodzaju roślinność: głównie zioła. Po lewej stronie od ganku, tuż pod oknami, znajdowała się ławka i mały drewniany stolik. W kilku miejscach, przeważnie na rogach budynku, po ścianach wspinały się bogatą paletą barw rośliny pnące.

Najciekawszy jednak był ganek. Podtrzymujące go słupy pomalowane były w kwieciste ornamenty, zaś na górnej poziomej poprzeczce zawieszone były rozśpiewane dzwonki wietrzne.

– Czyż nie jest cudowny? – Amanda nie mogła wyjść z podziwu. – Patrz i ucz się, jak powinna wyglądać przyjazna człowiekowi architektura. A nie te wasze zimne gmaszyska. Nawet ta szopa obok nie psuje ogólnego, dobrego wrażenia.

– Te zimne gmaszyska, jak je nazywasz, są niezwykle funkcjonalne. A poza tym, o czym ty w ogóle mówisz? Ja nie projektuję domków jednorodzinnych.

– Przyznaj, że jest piękny.

– To fakt, jest niezwykle pocieszny.

– „Pocieszny"? Gdzie ty wynalazłeś takie słowo? Pocieszny to może być piesek. A ten dom ma w sobie to coś. On wręcz zaprasza, aby do niego wejść. Wyobrażasz sobie, jak cudownie musi się mieszkać w takim miejscu. Budzić się i nie słyszeć tego ciągłego huku miasta. Tylko ta czysta, nieskażona przyroda. Wybudujesz dla nas coś podobnego, prawda?

– Chcesz mieszkać w lesie? Myślałem, że nad morzem?

– W lesie nad morzem.

– A w górach już nie?

– W lesie nad morzem blisko gór – podsumowała.

Taki był przecież kolejny element ich planu: kiedy zwiedzą już większość miejsc, jakie chcieli zobaczyć, oraz wyślą dzieci na studia – i odłożą oczywiście odpowiednią ilość pieniędzy – mają przeprowadzić się nad morze do jakiegoś ciepłego kraju na południu Europy. Ona będzie dorabiać prywatnymi lekcjami z angielskiego, a on projektować urokliwe domki dla miejscowych osadników, jeszcze bardziej upiększając w ten sposób i tak już niezwykle piękne miejsce, w którym dożyją wspólnie starości. To ma być zwieńczenie ich obfitującego w przygody życia. Zasłużona, przedwczesna emerytura.

– Dziwi cię to? Chyba nie zmieniłeś zdania? – zmroziła go wzrokiem.

– Nie, nie zmieniłem. Jak tylko przejdę na emeryturę, zamieszkamy w miejscu, o jakim mówisz – zapewnił ją na odczepnego, doskonale wiedząc, że takiej właśnie odpowiedzi od niego oczekuje.

Tyle że emerytura w jego przypadku, przy możliwościach pracy, jakie oferuje zawód architekta – zwłaszcza gdy prowadzi się własną pracownię – oznaczała bardzo, ale to bardzo odległą przyszłość. Zupełnie rozbieżną z tym, co wyobrażała sobie Amanda, w mniemaniu której miała to być raczej kwestia najbliższych dwudziestu lat.

– Nikogo nie ma w środku – spojrzała na męża, sugerując mu gestem jak najszybszy powrót do samochodu. – Dawno wyszedłby się przywitać.

– Może nas nie usłyszał? To cichy silnik. Lepiej zapukam.

Ruszył odważnie w kierunku drzwi. Wszedł na ganek, który skrywał prosty fotel bujany oraz kolejną partię roślin doniczkowych. Do drzwi przymocowana była czarna mosiężna kołatka. Złapał ją i uderzył krótką serią. Chwile oczekiwania na odpowiedź ze strony gospodarza umiliła im kojąca melodia dzwoneczków rozkołysanych mocnym podmuchem wiatru. Zakołatał ponownie: tym razem znacznie głośniej i dłużej.

– Halo, czy ktoś jest w domu?! Przepraszam mam pytanie! Proszę nie obawiać się i otworzyć!

– Nie widzisz, że nikogo nie ma? Co w ciebie wstąpiło?

– Przecież chciało ci się pić? – postanowił sprytnie zrzucić na żonę odpowiedzialność za swoje działanie.

– Boże… ale nie aż tak. Wytrzymam jeszcze te parę minut.

Karol złapał za klamkę i pchnął delikatnie drzwi. Te niespodziewanie ustąpiły.

– Otwarte – zakomunikował zaskoczony.

– Chyba nie zamierzasz...?

– Przepraszam... halo.

Uchylił szerzej drzwi, zaglądając do wnętrza domu.

– Karol, na miłość boską, tak nie można. Jedźmy już. Nic tu po nas.

– Chodź, zobacz jak w środku jest pięknie.

Mimo tego, iż zdążył objąć wzrokiem tylko skromny fragment pomieszczenia i nie miał tak naprawdę czasu dokonać jego oceny, zapiał z zachwytu nad roztaczającym się widokiem. Doskonale wiedział, iż tylko tak mógł uciszyć sprzeciw żony i odwlec w czasie jej chęć odwrotu. Nie mógł wyruszyć bez konsultacji dalszej trasy z kimś kompetentnym – tubylcem. Nie potrafiłby przyznać się Amandzie, że nie jest pewien obranego kierunku. Nie tylko obaliłby w ten sposób swój mit zmysłu przestrzeni, którym tak się szczycił (wielokrotnie zresztą udowadniając jego prawdziwość podczas wspólnych wypraw), ale również zakwestionowałby swą naturalną predyspozycję do wykonywania zawodu architekta. Nie, dalsza jazda na chybił trafił nie wchodziła w rachubę. Potrzebował czasu. Wcześniej czy później gospodarz przecież wróci – dom był zamieszkały, a zbliżał się zmierzch.

Postanowił grać na zwłokę:

– No chodź. Będziesz zachwycona. Tak właśnie wyobrażam sobie nasz domek nad morzem.

Amanda, świadoma złamania czegoś znacznie więcej niż tylko zasady dobrego wychowania, podeszła do męża i weszła razem z nim do środka. Złapała haczyk. Ciekawość zdecydowanie wzięła górę nad przygłuszonym wewnętrznym sprzeciwem.

Znajdowali się w ogromnym pomieszczeniu spełniającym funkcję zarówno holu, jak i kuchnio-jadalni. Po lewej stronie, przy samy wejściu, zawieszony był ścienny wieszak na kurtki oraz półeczka. Poniżej stała szafka na buty. W prawym rogu od drzwi wejściowych usadowił się wielki dębowy stół. Pod oknami stały dwie ławy, a przy zewnętrznych stronach stołu trzy krzesła. Blat przyściełał biały obrus, na którym stał wazon ze świeżymi kwiatami, półmisek z jabłkami, nocna lampka oraz leżał stary zeszyt w pięknej skórzanej oprawce. Po przeciwległej stronie stołu, dokładnie na środku całego domu, usytuowana była kuchnia kaflowa. Tuż przy niej drewno do paleniska oraz wiaderko z węglem. Całość izby uzupełniał jeszcze ogromny biały kredens przylegający do ściany dokładnie naprzeciwko stołu. Przy wieszaku oraz kredensie usytuowane były drzwi: przejście do kolejnych pomieszczeń. Detali, takich jak obrazy, rzeźby czy kinkiety, ze względu na słabe popołudniowe światło, które dość skromnie wdzierało się do środka przez białe haftowane firanki, nie byli już w stanie ocenić – dostrzegali jedynie ich kontury, domyślając się ich piękna.

– No i…? – Karol spojrzał na Amandę, oczekując wdzięczności za odkrycie przed nią tego wspaniałego wnętrza. – Warto było poświęcić chwilkę?

– Karol, nie wydaje ci się, że żyjemy w plastikowym świecie? Porównaj to do naszego mieszkania.

– A czy ty, kobieto, zdajesz sobie sprawę z tego, że gospodarze nie żyją tu sami? Na pewno mają mnóstwo niechcianych lokatorów. Myszy, robale, korniki i całe to paskudztwo.

– Nie rozumiem cię. Przed momentem byłeś zachwycony, a teraz narzekasz. Nie podoba ci się?

– Ależ skąd, podoba.

– Co byś w takim razie przeniósł do naszego domku nad morzem? A co byś zmienił?

Mężczyzna doskonale zdawał sobie sprawę, iż podejmując ten temat, mógłby wywalczyć kilka dodatkowych minut. Nie mógł jednak powstrzymać się przed sarkazmem:

– Zmieniłbym wiek.

– Co masz na myśli?

– Stare to wszystko. Mimo że odrestaurowane i zadbane, nie zmienia to w niczym faktu, że są to jednak graty.

– Ale piękne, nieprawdaż?

– Tak. Piękne retro. W sam raz do skansenu. – Ruszył w kierunku kredensu, na którym zauważył garnek z wystającą chochlą. Zajrzał do naczynia, po czym oznajmił: – Kompot. Jabłkowy. Chodź się napić.

– Nie powinniśmy. Już i tak przesadziliśmy, wchodząc do środka.

– Jesteś w ciąży. Zostanie ci wybaczone.

Drewniana podłoga skrzypiała wraz z każdym postawionym przez Amandę krokiem, jakby krzyczała, chcąc zaalarmować właściciela o obecności nieproszonych gości. Gdy stanęła obok męża, ten podał jej napełnioną chochlę, a ona zaczerpnęła z niej słodkiego płynu. Był tak smaczny, iż odebrała mu czerpak i dalej piła już się sama. Karol w tym czasie poddał wnikliwej obserwacji kredens. W jednej z wysuniętych szuflad dostrzegł cukierki: takie jakie uwielbiał, o smaku toffi. Spojrzał na Amandę i kiedy tylko zauważył, że nie patrzy w jego kierunku, sięgnął do szuflady. Zagarnął kilka sztuk do kieszeni spodni i odszedł od kredensu jakby nigdy nic.

– Zmieniłem zdanie. Zabrałbym ten kredens – rzekł. – Jest dość oryginalny.

– Też tak uważam – oznajmiła, wkładając chochlę z powrotem do naczynia. Następnie przetarła wierzchem dłoni usta i powiedziała błagalnym tonem: – Karol, nic tu po nas. Spełniłeś swój opiekuńczy obowiązek, jeśli o to ci chodziło. Już mi niczego nie potrzeba. Zaspokoiłam swoje pragnienie. Jedyne czego teraz pragnę, to znaleźć się w rodzinnym domu. Jestem już zmęczona podróżą. Jeżeli zaś chodzi o upewnienie się, czy dobrze jedziemy, to nie ma sensu czekać. Bóg jeden wie, kiedy ten ktoś przyjdzie. Wsiadajmy do samochodu i jedźmy już. Sam w końcu powiedziałeś, że główna droga musi być niedaleko. Chyba nie chcesz jechać w nocy?

Amanda miała rację. Karol dobrze o tym wiedział. W desperackim akcie sięgnął jednak po zeszyt leżący na stole. Chciał zatrzymać ją jak najdłużej, choćby jeszcze na kilka dodatkowych minut.

– Pamiętnik – uśmiechał się, wertując kartki. – Jakiejś kobiety.

– Karol, nie przeginaj.

– Pierwszy wpis jest sprzed kilku miesięcy, ostatni z zeszłego tygodnia. – Stanął bliżej okna, aby lepiej widzieć pismo. – Posłuchaj:

Dziś znowu odwiedził mnie Mirek. Wypełzł dumnie z wozu i zaczął ten swój bełkot. Wiedziałam, że chce, abym zaprosiła go do domu – w wiadomym celu. Wymyśliłam na poczekaniu, że idę zbierać grzyby. Złapałam więc koszyk i poszłam w stronę lasu z nadzieją, że odpuści. Ruszył jednak za mną, paplając jęzorem jak najęty. Wlókł się tak parędziesiąt metrów. W końcu złapał mnie za rękę i przycisnął mocno swoim ciałem do drzewa. Próbowałam go odepchnąć, nie byłam jednak w stanie. Wodził dłońmi po moich piersiach i udach. Opierałam się tylko przez chwilę, potem...

– Czekam w samochodzie – oburzona zachowaniem męża Amanda, wyszła z domu.

Dalszą część doczytał już w ciszy. Nic szczególnego, kilka krótkich zdań opisujących seks w lesie obcych i anonimowych dla niego osób. Odłożył pamiętnik dokładnie na to miejsce, z którego go zabrał. Zamknął za sobą drzwi i dołączył do Amandy.

Stała na ganku, wpatrując się z zainteresowaniem pod daszek.

– Na co patrzysz? – zapytał.

– Tam – wskazała palcem na poprzeczną belkę, na której widniały zatarte upływem czasu słowa: *Dobro umiera w ciszy.*

8.
Gość w dom, Bóg w dom

Rozchodzący się po lesie dźwięk pracującego na wysokich obrotach silnika przykuł uwagę Karola. Stał przy otwartych drzwiach samochodu, wstrzymując się z wejściem. Amanda siedziała wewnątrz gotowa do dalszego – jak mniemała ostatniego – etapu podróży. Ślamazarność, jaką wykazywał się Karol, przyprawiała ją niemalże o białą gorączkę.

– Słyszysz? – próbował zlokalizować źródło narastającego hałasu. – Motocykl.

– Nic nie słyszę. Masz jakieś omamy. Wsiadaj i jedźmy w końcu.

– Jestem tego pewien.

Dla Karola jedyny poza nimi użytkownik tego opuszczonego leśnego duktu oznaczał bardzo cennego informatora. Kiedy więc zobaczył wyłaniającą się spomiędzy drzew sylwetkę motocyklisty, zbliżającą się do nich dokładnie z przeciwnego kierunku w stosunku do tego, z którego sami przybyli, odszedł od samochodu, gotowy wybiec na drogę i zatrzymać samotnego wędrowca. Motocyklista wyprzedził jednak jego zamiar. Zwolnił tuż przed skrętem do domku, odbił energicznie w prawo i ruszył w ich stronę.

– No to w końcu doczekałeś się na właściciela – oznajmiła Amanda, śledząc wzrokiem zbliżającą się postać.

Czuła lekki niepokój przed nieznajomym. Słyszała wiele historii o dziwakach mieszkających samotnie w lasach i ani jedna z nich nie napawała jej optymizmem przed mającym nastąpić lada moment spotkaniem. Nawet jeśli dom należał do kobiety – a sądząc po fragmencie pamiętnika, który przeczytał jej Karol, tak właśnie było – to szaleńców nie brakował również i po stronie przedstawicielek płci pięknej. A co jeśli to opisany na kartach pamiętnika Mirek, natarczywy uwodziciel, lub ktoś jeszcze inny – gorszy? Przeżegnała się, oddając ich pod ochronę Niebios.

– Bądź ostrożny – poprosiła.

Karol bardzo szybko rozszyfrował, z kim za moment będzie miał do czynienia. Błękitny skuter ozdobiony kwiecistymi malowidłami, wiklinowy koszyk wypchany zakupami oraz wystające spod ochronnego kasku kierowcy długie czarne włosy nie pozostawiały wątpliwości co do płci przybysza.

Motocyklistka zatrzymała się tuż obok samochodu. Wyłączyła silnik i ściągnęła kask.

– Nie spodziewałam się gości – kobieta uśmiechnęła się do Karola. Zeszła ze skutera, wyciągnęła rękę na przywitanie i przedstawiła się: – Paulina.

– Miło mi, Karol – uścisnął jej dłoń.

Nagle, anonimowy, bezpłciowy i beznamiętny opis, który przed momentem doczytał w ciszy, za sprawą zmysłowej fizjonomii autorki ożył w jego wyobraźni niezapisanymi w rzeczywistości na kartkach pamiętnika pikantnymi szczegółami:

...przycisnął mnie jeszcze mocniej swoim ciałem do drzewa. Próbowałam go odepchnąć, nie byłam jednak w stanie. Wodził dłońmi po moich jędrnych piersiach. Obsypywał pocałunkami krwiste, pełne usta, patrząc namiętnie w me brązowe oczy. Mierzwił równocześnie moje długie gęste czarne włosy. Opierałam się tylko przez chwile, potem, jego silne dłonie powędrowały ku moim zgrabnym, pośladkom i udom, aby w końcu...

– Chcieliśmy tylko zapytać o drogę – otrząsnął się z imaginacji. Zdał sobie bowiem sprawę, iż patrzy na Paulinę wzrokiem wygłodniałego psa. Niestosownym do miejsca ani sytuacji.

– Nie jesteś sam? – zapytała Paulina.

– W samochodzie jest moja towarzyszka podróży, Amanda – sam do końca nie wiedział, dlaczego określił Amandę takim mianem. Zupełnie, jakby nie chciał przyznać się, że jest żonaty. A przecież każde wprawne oko bez problemu wychwyciłoby obrączkę ślubną na jego palcu. Szybko więc sprostował: – Moja małżonka.

– Rzeczywiście – Paulina spojrzała w szyby samochodu. – Witam panią.

Amanda nie wyszła, aby się przywitać. Pomachała jedynie ręką, uznając ten gest za wystarczający objaw grzeczności. Co prawda wygląd i zachowanie nieznajomej rozwiały jej wcześniejsze obawy o bezpieczeństwo, ale przyczyną jej wstrzemięźliwego zachowania było co innego: chciała już jechać, i to jak najszybciej.

– Zabłądziliście? – Paulina ściągnęła wiklinowy koszyk z metalowych podpór przymocowanych do kierownicy.

– Nie… skądże – zaprzeczył. – Po prostu zauważyłem ten piękny dom i chciałem się upewnić co do dalszej drogi.

Karol nie miał najmniejszego zamiaru przyznać się, iż faktycznie nie był pewien, czy obrał właściwy kierunek. Nadszarpnęłoby to bowiem jego reputację, stawiając go w oczach nowo poznanej kobiety w kategorii niedorajdy. Mało tego, wyznanie tego typu na pewno wychwyciłaby Amanda, a gdyby dowiedziała się, że przez cały czas ją okłamywał, zamieniłaby jego dalszą podróż w istne piekło. Już i tak spodziewał się najgorszego za nazwanie jej „towarzyszką podróży".

– Dokąd zatem jedziecie? – zapytała Paulina, zmierzając wolnym krokiem do domu.

– W stronę ***[4] – odpowiedział.

– Jeżeli pojedziecie w kierunku, z którego przyjechałam, to za jakieś dwadzieścia do trzydziestu minut wyjedziecie na główną drogę. Skręćcie w prawo i przed siebie. To już niedaleko.

– A czy ta leśna droga nie prowadzi czasem w kierunku zachodnim? – zapytał, dotrzymując jej towarzystwa podczas marszu do domu.

---

4. Zobacz przypis nr 1.

– Tak, ale tylko kawałek. Omija wielkim łukiem mokradła i później skręca ponownie na południe.

Dopiero teraz, kiedy Karol podążając za uroczą gospodynią, oddalił się nieco od samochodu, Amanda mogła zobaczyć, w jaki sposób patrzył na nowo poznaną kobietę. Właśnie tak, jak patrzył na tę bezwstydnicę na stacji benzynowej. Tak, jak dawniej patrzył na nią. W przypływie zazdrości wyszła więc z samochodu. Chciała przypomnieć mężowi o swojej obecności:

– Karol, nie uważasz że na nas już pora?

– O jejku, to pani jest w ciąży – Paulina zachwycona widokiem ciężarnej odstawiła koszyk z zakupami na schody ganku i podeszła do Amandy. – Który to już miesiąc?

– Za kilka dni mam termin porodu – odpowiedziała zadowolona z faktu, iż stała się obiektem zainteresowania uroczej gospodyni, co powinno przywrócić Karola do porządku i uzmysłowić mu, na której kobiecie powinien skupić swoją uwagę.

– Naprawdę? – przyklasnęła w dłonie. – W ogóle tego po tobie nie widać.

– Nie przesadzaj, wyglądam jak balon meteorologiczny.

– Raczej jak dziecięcy balonik.

– Który – popatrzyła z wyrzutem na męża – jeśli się nie pospieszymy, zaraz wybuchnie.

– Tak, na nas już pora – Karol przyjął z pokorą piekielne spojrzenie Amandy. Ich wizyta przeciągnęła się w czasie. Teraz, gdy osiągnął już, co zamierzał, nie było sensu nadal jej przedłużać.

– Rozumiem. Zatem nie będę was zatrzymywać.

– A ty? – wypaliła nagle ni stąd, ni zowąd w stronę gospodyni Amanda.

– Ja…?

– Masz dzieci?

– Niestety, brak odpowiedniego kandydata na ojca.

Karol i Amanda spojrzeli na siebie wymownie, przypominając sobie natarczywego Mirka z wpisu do pamiętnika.

– W takim miejscu chyba niełatwo o takowego? – zapytała Amanda.

– Co?… Ależ nie. Nie jestem pustelniczką, jeśli o to ci chodziło. Mieszkam tu tylko w cieplejszych miesiącach roku. Jakoś nie wyobrażam sobie samotnych, zimowych nocy na tym odludziu. Na zimę przeprowadzam się do pobliskiego miasteczka, przez które będziecie przejeżdżać. Tam też na co dzień pracuję. Prowadzę sklep zielarski.

– A ten dom? – do rozmowy włączył się Karol. – Utrzymanie go w takim stanie wymaga chyba dużego nakładu pracy?

– Ach, ten dom – westchnęła. – To nie tyle dom, ile raczej pamiątka po mojej babci i mamie. Tak że nie traktuję opieki nad nim w kategoriach pracy.

– Jest naprawdę piękny – Pełna zachwytu Amanda obejmowała wzrokiem możliwie duży fragment posiadłości.

– Wybudował go mój dziadek tuż po drugiej wojnie Niestety, tylko chwilę mieli okazję cieszyć się nim wspólnie z babcią. Dziadek umarł na gruźlicę pod koniec czterdziestego dziewiątego roku. Kilka miesięcy później urodziła się moja mama. Zostały same.

– Same, tutaj?

– Och… miały tu prawie jak u Pana Boga za piecem. W ogóle nie odczuły zawirowań historycznych tamtego okresu. Z tego co mi opowiadała mama, a co przekazała jej babcia, kiedy zbliżało się jakieś zagrożenie, to uciekały do lasu.

Miały tam specjalną kryjówkę: domek myśliwski dziadka. Jego ruiny stoją zresztą do tej pory.

– A z czego żyły? Przecież były zupełnie same.

– Babcia zajmowała się starym rodzinnym fachem: ziołolecznictwem. Przy stanie służby zdrowia w tamtym okresie, radziła sobie całkiem nieźle. Na tyle przynajmniej, iż były w stanie z tego wyżyć. Później wiedza babci „powędrowała" do mamy, a teraz spoczywa u mnie.

– Przejęłaś zatem nie tylko rodzinny dom, ale również stary rodzinny fach – zauważył z rozrzewnieniem Karol. Z jego rodziną bowiem nie było, i nie miało być, inaczej.

– Tak. Tyle że ja nie zajmuję się już uprawą i zbieractwem jak moje poprzedniczki. Zaopatruję się u producentów. Takie nastały czasy. Oj, daleko mi do babci i mamy, one same robiły mieszanki i wywary lecznicze. Próbuję co prawda od czasu do czasu wykorzystać ich przepisy i samodzielnie coś sporządzić, ale nie jestem w tym zbyt dobra. Poza tym, to zajmuje zbyt wiele czasu. Moje poprzedniczki nie miały takiego luksusu, jaki ja mam dzisiaj i dlatego od początku do końca wszystko robiły osobiście. Co zresztą było przyczyną późniejszych naszych nieszczęść.

– Nieszczęść? Przed momentem wspominałaś prawie o idylli – zdziwiła się Amanda.

– No cóż… Nie będę was zanudzać. W końcu się spieszycie.

– Nie aż tak, aby przegapić ciekawą historię.

Amanda spojrzała z przekąsem w stronę Karola. Wiedziała, że na poważnie szykuje się do dalszej drogi. Powziął już taki zamiar. Widać to było w jego ruchach: nerwowe przestępowanie z nogi na nogę, rozbiegany wzrok czy mimowolne oblizywanie warg – zachowywał się tak zawsze, jeśli coś szło nie po jego myśli. I mimo tego, iż spieszyło się jej nawet bardziej niż jemu, a i towarzystwo atrakcyjnej kobiety nie było jej zbytnio na rękę, postanowiła zostać jeszcze przez chwilę. Chciała zrobić mu na złość. Odegrać się za to, że wybrał skrót wbrew jej obawom, a później, kiedy zatrzymali się w leśnej chacie, odsuwał moment odjazdu. O nazwaniu jej „towarzyszką podróży" już nie wspominając.

– Zatem, tak jak już powiedziałam, babcia zajmowała się zielarstwem i była w tym całkiem niezła.

Paulina przełożyła wiklinowy koszyk w głąb ganku i usiadła na schodkach. Zachęciła Amandę, aby przyłączyła się do niej, co też ta bez większego oporu uczyniła. Gdy już obie siedziały, gospodyni kontynuowała:

– Przetrwały ciężkie lata właśnie dzięki jej rzadkiemu fachowi i pomocy miejscowej ludności. W zamian za swoje specyfiki babcia dostawała jedzenie. Moja mama uczyła się w szkole w pobliskim miasteczku, do której zresztą i ja w późniejszym okresie również uczęszczałam. I przez jakiś czas było wszystko dobrze. Jednak nic co dobre nie trwa wiecznie. Lata pięćdziesiąte były okresem formowania się w Polsce ustroju socjalistycznego, nowego ładu i nowoczesnego państwa. A to, czym parała się moja babcia, nie pasowało do tamtych haseł. Zielarstwo określono jako ciemnogród i zabobony. Ówczesny miejscowy komunistyczny kacyk uwziął się więc na babcię.

– Jak miała na imię? – zagadnęła Amanda.

– Teresa. A moja mama – Krystyna.

– Zgaduję, że na drugie imię masz Teresa.

Paulina uśmiechnęła się do Amandy. Przytaknęła jej głowa, po czym powróciła do opowieści:

– Oficjalny urzędowy zakaz, jaki został jej narzucony, nic jednak nie zmienił. Ludzie i tak potajemnie przychodzili po porady i leki. Ale oni, władza, mieli wtedy swoje sposoby.

Pojawiły się plotki, a w miejscowej gazecie informacje o chorobach i zgonach spowodowanych przez ziołowe eliksiry Teresy. Nawet narodziny martwego lub chorego dziecka zrzucano na jej barki. Do akcji bardzo szybko przyłączył się również Kościół. Wydawało się, że to koniec. Władza, Kościół, część społeczeństwa – koalicja nie do przezwyciężenia. Jednak nie wszyscy wierzyli w te brednie i Teresa wciąż mogła liczyć na dużą grupę klientów. Tych stałych oraz tych, którzy w ostateczności chwytali się ostatniej deski ratunku. Oczywiście słuchy o tym, że Teresa nie zaprzestała swojej działalności dochodziły do uszu „tych na górze". Jednak przeprowadzane od czasu do czasu przeszukania naszego domu oraz przesłuchania babci i jej rzekomych pacjentów nic im nie dawały. Wszyscy milczeli jak zaklęci. Teresa była ostrożna. Za rękę zatem nikt jej nie złapał. Niestety, obrywało się nie tylko Teresce, nękano także moją mamę. W szkole nauczycielki mówiły do niej „córka wiedźmy", a dzieci przezywały ją „czarownica". Młoda Krystyna na szczęście nic sobie z tych zaczepek nie robiła, a nawet dla zabawy zaczęła ubierać się i zachowywać właśnie jak czarownica. Straszyła resztę dzieciaków, że rzuca na nie klątwy, i robiła podobne szczeniackie wygłupy.

W takiej nieprzyjemnej atmosferze dobrnęły do końca lat pięćdziesiątych. Wspomniany kacyk nie dał jednak za wygraną. Traktował kwestię Teresy jak osobistą batalię. I w końcu wpadł na pomysł, jak ukrócić jej zielarski proceder. Z pomocą milicji, spreparowanych dowodów, kilku przekupionych i zastraszonych świadków posądził moją babcię o kradzież ogromnych ilości drzewa z lasu. Proces był szybki. Cztery lata więzienia.

– O Boże, to okropne! – Amanda pokiwała z niedowierzaniem głową. – Jak to możliwe? Nie miała adwokata?

– Amanda, proszę… – Karol oburzył się ignorancją żony w temacie realiów życia w poprzedniej epoce – to był komunizm.

– No co? Nie miałam okazji zbyt długo pożyć za czasów komuny. Tak samo zresztą, jak i ty.

– Ale ja choć trochę interesuję się historią naszych ojców – odpowiedział jej złośliwie.

– Tak, miała – przerwała małżeńską wymianę zdań Paulina, odpowiadając na pytanie Amandy. – Tylko zapewne to nie ona go sobie wybrała. A on, jeśli dalej chciał być adwokatem, raczej nie mógł jej wybronić. Wiem coś więcej o tamtych czasach, ponieważ dzieli mnie od was, sądząc po waszym wyglądzie, jakaś dekada na moją niekorzyść.

– Ile?! – wtrącił jowialnie Karol. – Wyglądasz młodziej ode mnie.

– A co się wtedy stało z twoją matką? – zapytała Paulinę Amanda, ignorując zupełnie szarmancki wyskok Karola. Sama bowiem chciała wypowiedzieć jakąś podobną kwestią, a Karol najzwyczajniej ją w tym uprzedził.

– Wylądowała w domu dziecka.

– Okropne.

– To niestety jeszcze nic.

– Nie żartuj!

– Babcia nie przeżyła pobytu w więzieniu.

– Jak to, co się stało?

– Tego, tak naprawdę, nie wiadomo. Według oficjalnej wersji otruła się.

– Otruła? To bez sensu. Jaka matka tak postępuje, mając dziecko – oburzyła się Amanda.

– Dokładnie – przytaknęła Paulina. – Nawet nie jestem w stanie wyobrazić sobie, co musiała wtedy przeżywać moja mama. O tamtym okresie życia młodej Krystyny nie mogę wam niestety wiele opowiedzieć, ponieważ sama niewiele wiem. Matka nie opowiadała mi zbyt dużo na ten temat. Wiem tylko tyle, że gdy była już pełnoletnia, zaczęła studiować biologię w Krakowie. Dokładniej rzecz ujmując, botanikę. Niestety nie ukończyła jej, gdyż zaszła w ciążę, efektem której jestem ja. Mój biologiczny ojciec, syn jakiejś partyjnej szychy, ani myślał jednak związać się z moją matką, córką złodziejki, bez grosza przy duszy. Galimatias trudny do zaakceptowania nawet w obecnych czasach.

– Co zatem zrobiła? – Amanda aż kipiała z ciekawości. Już dawno zapomniała o tym, że naciągnęła Paulinę na opowieść o przodkach po to tylko, aby zagrać Karolowi na nosie. Teraz słuchała historii całkiem jakby dotyczyła bezpośrednio jej samej.

– Regularne wpłaty od bogatej rodziny tatusia miały wszystko załatwić. Wystarczyło, aby zachowała dla siebie, kto jest ojcem. Moja matka, nie widząc innego rozwiązania, przyjęła finansową propozycję. Miała wtedy co innego na głowie: moje dobro i bezpieczeństwo. Przeprowadziła się niedaleko stąd do ***[5]. Tam przyszłam na świat. Jednak mój widok, nasze wzajemne relacje matki i córki, przypominały jej o relacjach ze swoją matką. Po kilku latach zrodziła się w jej głowie myśl, a następnie wewnętrzne poczucie misji, by oczyścić dobre imię Teresy. Powróciła zatem do rodzinnego domu. Do tego domu. Dzięki pieniądzom, zastępującym jej ojca dziecka, wyremontowała go i przystąpiła do zadania. Oj, żebyście wiedzieli, ile poświęciła czasu, aby zmyć z babci piętno złodziejki.

---

5. Zobacz przypis nr 1.

– Udało się?

– Tak. Niestety, kosztem innego piętna: wiedźmy.

– Że co? – zaśmiał się głupkowato Karol.

– Tak, to idiotyczne, ale niestety prawdziwe. Od wydarzeń z nagonką na Teresę ze strony tego komunistycznego kacyka i rzekomej kradzieży drewna minęło kilkanaście lat, a ludzka pamięć niestety jest zawodna oraz podatna na sugestie. Przez miejscowych babcia zapamiętana została jako szamanka, a Krystyna jako dziewczynka, która na wszystkich rzucała zaklęcia i odgrażała się, że jest czarownicą. I tak zostało. Ludzie nie zmienili swojego zdania. Przez lata wspomnienia obrosły jeszcze w wymyślone niedorzeczności. Na niekorzyść Krystyny działałam także i ja, a konkretnie nieznany tatuś, do którego mama nie chciała się przyznać. Zaczęto więc mówić, że jej dziecko to dzieło samego szatana.

– No to jak sobie radziłyście? – Amanda nie mogła wyjść z podziwu.

– Nasz dom uznawany był za przeklęty. Nikt nie miał odwagi przyjść tutaj po poradę. Zresztą ludzie starszej daty i do tej pory omijają go szerokim łukiem – zaśmiała się nerwowo. – Z początkiem lat siedemdziesiątych przyszła odwilż polityczna i gospodarcza. Moja matka założyła mały sklepik zielarski. A tam już klientów jej nie brakowało.

– Mimo piętna czarownicy?

– Tacy są ludzie. Za plecami ją obgadywali i wytykali palcami. Ale jak tradycyjna medycyna nie była w stanie im pomóc, to bez skrupułów przychodzili po pomoc do sklepiku.

– Hipokryci – wycedziła zbulwersowana Amanda.

– Mało tego, niektórzy nawet za wszystkie złe rzeczy, jakie wydarzały się w okolicy, obwiniali moją mamę. Nasza rodzina ponownie była zaszczuta. Odpuścili dopiero, kiedy Krystyna zginęła potrącona przez samochód.

– O Boże, ile miałaś wtedy lat?

– Byłam na ostatnim roku botaniki.

– Botaniki? – Karol ożywił się na tę informację. – Poszłaś zatem jej śladem.

– To było jej marzenie. Chciała, abym zrobiła to, czego jej się nie udało.

– Ale ty już żyjesz normalnie, prawda? – zapytała Amanda.

– Oj tak – Paulina uśmiechnęła się serdecznie do ciężarnej. – Tubylcy się mnie nie boją, jeśli o to ci chodzi. Od czasu do czasu zdarzą się tylko jakieś słowne zaczepki ze strony dzieciaków lub pijaczków. Jak już wspomniałam, niektórzy odczuwają irracjonalny lęk przed tym miejscem. Ale to raczej ze względu na poprzednie lokatorki. Według tych bardziej bojaźliwych ten dom jest po prostu przeklęty. Mało kto tu zagląda. Nie muszę nawet zamykać drzwi. Włamanie i jakakolwiek kradzież w ogóle nie wchodzą w rachubę. Jedyny plus całej tej historii. Wy oczywiście nie wchodziliście do środka? – spoważniała nagle i wlepiła wzrok w Amandę.

– Ależ skąd! – Karol, widząc zmieszanie Amandy, przyjął na siebie obowiązek odpowiedzi.

– Coś wam pokażę. – Paulina zerwała się energicznie z miejsca i weszła w głąb ganku. – Tam u góry – wskazała palcem, kiedy goście posłusznie do niej dołączyli.

– *Dobro umiera w ciszy* – Amanda przeczytała napis wyryty na belce. Zrobiła to powoli i z przerwami, tak jakby czytała go pierwszy raz. Tylko tak, w jej mniemaniu, mogła potwierdzić złożoną przed momentem deklarację męża, iż nie przekroczyli nawet progu ganku.

Paulina zamknęła oczy, po czym wyrecytowała:

Dobro umiera w ciszy.
Nikt go nie usłyszy.
Nikt o nim nie wspomni.
Szybko je każdy zapomni.

Otworzyła oczy i spojrzała w bezkres lasu.

– Wiersz napisała moja mama, kiedy była w domu dziecka. Wyryła pierwszy wers, gdy rozpoczęła remont domu.

Po wyznaniu Pauliny nastała cisza. Cała trójka wsłuchiwała się w szum lasu i współgrający z nim odgłos dzwoneczków wietrznych. Paulina oddawała w myślach hołd zmarłej matce i babci. Z kolei Karol z Amandą milczeli skrepowani trwającym napięciem chwili.

Pierwszy milczenie przerwał Karol:

– Bardzo ci dziękujemy, ale na nas już pora – szturchnął delikatnie Amandę w ramię, dając jej do zrozumienia, iż nie ma sensu dłużej przedłużać ich wizyty.

– Tak. Pojedziemy już. Czeka na nas rodzina. Już powinniśmy być na miejscu. Na pewno się niepokoją – Amanda pochwyciła Karola za rękę i zeszła razem z nim przed ganek.

– Zatem szerokiej drogi. Niezmiernie miło było was poznać. Zapraszam w drodze powrotnej.

– Jeśli tylko zdecydujemy się ponownie na ten skrót to… – Karol zamarł nagle w bezruchu, z głębi lasu doszedł bowiem do niego pomruk pracującego silnika. – Słyszycie?

– Od czasu do czasu ktoś tędy przejeżdża – Paulina w najmniejszym stopniu nie była zaskoczona jego rewelacją. – W ciemno mogę się nawet założyć, kto to jest. Srebrno-niebieskie z kogutem na dachu.

Po chwili słowa Pauliny się potwierdziły. Od strony, z której przyjechali Matlakowie, nadjechał terenowy samochód policyjny i zatrzymał się tuż przed skrętem do domu. Karol zesztywniał – radiowóz był identyczny jak ten, który jeszcze jakiś czas temu jechał za nimi.

– Dziękuje wam – Paulina pomachała w stronę przyjezdnego. – Gdyby nie wy, to pewnie znowu zawracałby mi głowę.

– Policja tutaj? Czego może chcieć? – Zaniepokojony Karol wpatrywał się uważnie w siedzącego w samochodzie policjanta.

– Niczego, co dotyczyłoby służbowych obowiązków – Paulina wyczuła lęk swojego gościa i postanowiła go uspokoić. – To mój wieloletni adorator.

– To jednak są tutaj jacyś „oni" – Amanda nawiązała do wcześniejszej informacji Pauliny o braku odpowiednich kandydatów na ojca.

– Niestety – parsknęła śmiechem Paulina. – Mirek za dużo sobie wyobraża… Jest dziwnie zazdrosny… On… nieważne szkoda na niego słów.

Amanda jednak nie potrzebowała słów – opis z pamiętnika jak najbardziej jej wystarczał. Pokiwała więc ze zrozumieniem głową. Kto jak nie kobieta zrozumie dylemat drugiej kobiety w kwestii mężczyzn.

Karol odetchnął z ulgą. Wizyta stróża porządku nie miała nic wspólnego z nim. Nadal stał jednak przy samochodzie, nie kwapiąc się z otwarciem drzwi. Zrobił to dopiero, gdy radiowóz ruszył z miejsca i pojechał dalej przed siebie.

– Nie jedźcie jeszcze. Odczekajcie minutkę, dobrze? – poprosiła Paulina. – Jak zobaczy was we wstecznym lusterku, to na pewno od razu zawróci. A nie mam dziś ochoty na jego towarzystwo.

Państwo Matlak spełnili prośbę uroczej gospodyni. Karol bowiem nie miał ochoty na zbyt bliskie spotkanie z Mirkiem policjantem, a Amanda z Mirkiem mężczyzną. Spacerowali wraz z gospodynią wokół domu, podziwiając jej piękny ogród. Po kilku minutach, wystarczających w mniemaniu Karola na to, aby radiowóz oddalił się już od nich na dość znaczną odległość, wsiedli do samochodu i ruszyli powoli w dalszą drogę.

Część II

9.
Rok 2026 – seans

Staliśmy w trójkę na ganku kompletnie zrujnowanej leśnej chaty. Asystujący mi przez cały czas niczym cień mężczyzna powiedział, że jest naprawdę pod wrażeniem mojej relacji, większość osób nie zdołała ich bowiem nawet wyprowadzić z Warszawy. Nie to co ja... Perfekcyjnie zlokalizowałam nie tylko byłe mieszkanie państwa Matlak, biurowiec, w którym pracował Karol z dokładnością do samego gabinetu jego pryncypała (co o mało nie zakończyło się zresztą interwencją ochrony), ale również stację benzynową, na której zatrzymali się tamtego dnia. Dziewczyna usiadła na schodkach i dodała, że jednemu faciowi szło całkiem nieźle i dojechali nawet w te rejony, ale bardzo szybko okazało się, iż po prostu kojarzył osoby, czas i miejsce z artykułem, który przeczytał wiele lat temu w gazecie. Chciał ich najzwyczajniej w świecie perfidnie naciągnąć na jakieś zmyślone historyjki. Na szczęście byli czujni.

Przycupnęłam obok dziewczyny. Oparłam się plecami o spróchniały filar ganku. Byłam zmęczona. Nigdy dotąd nie miałam tak długiego seansu. A wiedziałam, że to jeszcze nie koniec. Pociągnęłam z plastikowej butelki kilka głębokich łyków wody mineralnej. Wyłowiłam z torebki opakowanie cienkich Pall Malli i odpaliłam jednego. Dziewczyna chciała, abym ją poczęstowała. Schowałam pośpiesznie paczkę z powrotem do torebki – jak dla mnie była na to jeszcze za młoda. Mężczyzna usiadł obok nas. Wyciągnął z kieszeni spodni Marlboro i skierował je w stronę dziewczyny.

Po chwili paliła już cała nasza trójka.

Siedzieliśmy w milczeniu. Korciło mnie, aby zapytać, kim są i co łączy ich z całą tą sprawą. Niezmiernie ułatwiłoby mi to pracę. Przez całą drogę, jaką przebyliśmy, mówiłam wyłącznie ja. Oni nie zadawali żadnych pytań. Słuchali tylko i analizowali moje słowa – no cóż, przynajmniej nie przeszkadzali. Postanowiłam zaczekać. Nie było sensu naciskać. Wiedziałam, że zaczną mówić sami, gdy przyjdzie odpowiednia chwila: kiedy stanę w martwym punkcie lub będą chcieli wiedzieć więcej, niż jestem w stanie odczytać bez ich osobistego wkładu.

Mężczyzna zapytał dziewczynę, czy jest gotowa, by pójść z tym dalej. Przytaknęła, a następnie wyszła przed dom. Około czterdziestoletni brunet wyciągnął z kieszeni plik kartek i wręczył mi je.

Czułam, że niedługo zaczniemy wędrówkę przez las. Drzewa wołały mnie. Wręcz krzyczały. Przechowywały w sobie niesamowity ładunek energii. Żywica wspomnień aż z nich wyciekała.

Rozłożyłam pierwszą z trzech kartek ksero.

10.
Raport posterunkowego Mirosława Tekli

Samochód Karola i Amandy Matlak po raz pierwszy zauważyłem około godziny 16.00 w dniu ich zaginięcia, to jest 25 września 2010 roku. Kierowałem się z rutynowym patrolem trasą południo-

*wo-wschodnią w kierunku ***[6], kiedy to dostrzegłem przed sobą srebrny samochód terenowy marki Kia Sportage o numerach rejestracyjnych WB 4589. Samochód jechał zgodnie z przepisami, toteż nie podejmowałem żadnych czynności służbowych.*

*Po pokonaniu góra piętnastu kilometrów samochód zaginionych skręcił w prawo w leśną drogę na wysokości wsi ***. Manewr ten nie wzbudził we mnie żadnych większych podejrzeń. Kierowcy bowiem często wybierają tę drogę, traktując ją jako skrót do *** Nie odrzuciłem również prawdopodobieństwa, że byli to zwykli grzybiarze, których o tej porze roku nie brakuje, lub zwykli miłośnicy przyrody.*

Po raz drugi — i ostatni zarazem — samochód oraz samych zaginionych, zaobserwowałem około godziny 18.00 tego samego dnia. Udałem się w kończący dzień służby patrol leśną drogą, w którą wcześniej skręcił samochód państwa Matlak. Patrol tego typu staram się — zgodnie z wytycznymi przełożonych — wykonywać przynajmniej raz w tygodniu. Trasa ta niestety nie jest bowiem wolna od miłośników alkoholu, narkotyków i płatnego seksu z przydrożnymi prostytutkami. Państwo Matlak byli w towarzystwie Pauliny Witeckiej i stali tuż przed jej domem przy zaparkowanym obok samochodzie.

Nie zatrzymując się, pojechałem dalej.

---

6. W oryginalnym tekście wszystkie nazwy miejscowości zostały zatuszowane, aby nie ułatwiać medium pracy.

II.
Smerfy mieszkają w lesie

Temperatura na zewnątrz opadła na tyle odczuwalnie, iż Karol podkręcił klimatyzację do dwudziestu jeden stopni Celsjusza. Przyjemne ciepło oraz lekkie falowanie samochodu spowodowane ostrożną jazdą szybko ukołysały Amandę do snu.

Od momentu wyjazdu z posesji Pauliny, Karol jechał powoli, obawiając się spotkania z Mirkiem. I nawet teraz, kiedy był już pewien, że dzieli go od niego naprawdę spora odległość, nie próbował nadrobić drogi. Nie chciał też obudzić żony jakimś nagłym szarpnięciem samochodu na nierównościach trasy.

Droga, zgodnie z zapewnieniami Pauliny, zaczęła z wolna odbijać w kierunku południowym, co na tyle go uspokoiło, iż odprężony zaczął podziwiać niesamowitą mozaikę barw lasu: od zieleni, poprzez czerwień, brąz, a na żółtym kończąc. Dopiero psująca tę jesienną harmonię srebrzysto-niebieska metaliczna bryła ocuciła go z tego chwilowego estetycznego zatracenia. Tuz przed nim znajdował się radiowóz.

Wyhamował ostrożnie samochód i zerknął na Amandę – wciąż spała. Następnie spojrzał przed siebie, oczekując na ruch przeciwnika. Minęła dosłownie chwila, gdy z radiowozu wyszedł policjant – Mirek. Wyglądał dokładnie tak, jak zapamiętał go Karol przez tę krótką chwilę, kiedy stróż prawa zatrzymał się przed domem Pauliny. Z kolei te z elementów fizyczności policjanta, których Karol nie miał sposobności zauważyć ze względu na odległość i ograniczenia pola widzenia, były takie, jak to sobie wyobrażał.

Około czterdziestoletni mężczyzna średniego wzrostu o bardzo mocnej budowie ciała, z małymi, głęboko osadzonymi oczami, stał przed radiowozem z szeroko rozstawionymi nogami. W niebieskim policyjnym uniformie brakowało tylko czapki z daszkiem. Tę bowiem ściągnął tuż przed opuszczeniem samochodu, odkrywając przerzedzone, krótko ogolone włosy na okrągłej niczym piłka czaszce. Funkcjonariusz wpatrywał się w wprost w Karola, kołysząc się rytmicznie na przemian w przód i w tył. Po chwili uwolnił jedną z zaplecionych na lędźwiach rąk i wystawiając ją przed siebie, zachęcił Karola ruchem palca, aby do niego podszedł.

Nie dał się długo prosić. Nie chciał, aby to policjant do niego przyszedł. Tradycyjna kontrola mogła bowiem obudzić Amandę. Wyszedł więc z samochodu i delikatnie przymknął drzwi. Silnik zostawił na chodzie. Zajrzał do środka, czy zachował należytą ostrożność. Amanda wciąż spała.

Szedł wolnym krokiem, wsłuchując się w odgłos suchych liści ugniatanych pod butami. Przystanął o metr od Mirka.

– Prawo jazdy i karta pojazdu, czy tak? – zapytał, po czym wyciągnął dokumenty.

– Słyszę, że nie jest pan zdziwiony moim widokiem – odpowiedział funkcjonariusz z szyderczym uśmiechem.

– Trochę… Nie spodziewałem się kontroli w takim miejscu.

– Przecież smerfy żyją w lesie. Tak nas nazywacie, smerfy. Prawda?

Karol nie odpowiedział.

– Czym się zajmujesz, Karolu Matlak? – policjant wpatrywał się w dokumenty.

– Jestem architektem.

– Aaa… architekt. I myślisz, że jak jesteś panem architektem, to już wszystkie dupy będą twoje?

– Nie rozumiem, do czego pan zmierza – odpowiedział zdziwiony.

– Tylko bez mataczenia, dobrze?

– Mataczenia?

– Wiem, jak na nią patrzyłeś.

– Na kogo?

– Powiedziałem coś przed chwilą, prawda?!

– Mówi pan o Paulinie? – Karol szybko skojarzył fakty. Nie wiedział, czego może się spodziewać po pałającym do niego jawną niechęcią mężczyźnie. Wolał zatem go nie drażnić i zbyć jak najszybciej krótkimi i rzeczowymi odpowiedziami.

– A o kim, do diaska? Chyba nie o tej ciężarówce – spojrzał na śpiącą w samochodzie Amandę.

– To moja żona.

– Więc lepiej nie budzić ptaszynki, bo dowie się o tobie prawdy – ściszył szyderczo głos.

– O co panu chodzi? Popełniłem jakieś wykroczenie? Dlaczego mnie pan zatrzymał?

– A nie mam do tego prawa? Zachowywałeś się dość dziwnie na drodze. Nagle przyspieszałeś, to znów hamowałeś. Stwarzałeś zagrożenie dla innych. Potem skręciłeś do lasu. To wszystko wydaje się mocno podejrzane.

– Gdyby to była prawda, to zatrzymałbyś mnie już wtedy.

– Czyli mam rozumieć, że jechałeś bezpiecznie?

– Tak.

– Więc co to w takim razie było? Zabawa? Chciałeś się ze mną zabawić?

– Nie, nie chciałem.

– Więc?

– Chciałem tylko sprawdzić, czy za mną jechałeś – Karol zirytowany sposobem, w jaki zwracał się do niego policjant, również zaczął do niego mówić bardziej obcesowo.

– A dlaczego miałbym to robić, podobno jechałeś bezpiecznie?

– Nie wiem – Karol był wyraźnie skołowany.

– I do lasu też skręciłeś, bo chciałeś sprawdzić, czy za tobą jadę?

– I tak, i nie.

– Oj, mataczycie, obywatelu Matlak. A co ja wam mówiłem na ten temat? Może tam u ciebie, w Warszawce, przejdą takie numery z gliniarzami, ale nie tutaj i nie ze mną.

– Skręciłem, bo chciałem sprawdzić, czy za mną pojedziesz, ale również dlatego, bo to dobry skrót do ∗∗∗[7] – cierpliwość Karola była już na wyczerpaniu.

– I ja mam w to uwierzyć?

– Tak.

– Więc co robiłeś u Pauliny?

– Do czego zmierzasz?

– Zadałem pytanie.

– Chciałem zapytać ją o drogę.

– Zgubiłeś się? Jaki z ciebie facet – zadrwił policjant.

– Nie, nie zgubiłem się. Chciałem tylko się upewnić. A telefony nie działają w takiej dziczy. Więc… A tak w ogóle, to dlaczego ja ci się tłumaczę?

– Właśnie, dlaczego? Co masz do ukrycia? Może to, że nie potrafisz utrzymać kuśki na wodzy.

---

7. Zobacz przypis nr 1.

Karol instynktownie zerknął na żonę, upewniając się, czy nadal śpi. Spoczywała w tej samej pozycji, w której ją zostawił – oczy miała wciąż zamknięte. Powrócił zatem do stojącego przed nim w kowbojskim rozkroku problemu.

Zastanawiał się, o co chodziło Mirkowi, do czego zmierzał, zadając pytania. Od samego początku, już od pierwszego kontaktu tam na drodze czuł niepokój względem bezimiennego wtedy policjanta. Jego zachowanie i późniejsze słowa Pauliny oraz pamiętnik, który czytał, jeszcze bardziej go w tym przekonaniu utwierdziły. Czy wszystko sprowadzało się tylko i wyłącznie do niej? Czy spojrzenia i zachowanie Karola względem niej były aż tak czytelne, że nawet Mirek z tak dużej odległości i przez tak krótką chwilę był w stanie je rozszyfrować? A jeśli on potrafił to zrobić, to co dopiero Paulina i sama Amanda? Kobiety przecież dysponują o wiele większym zmysłem obserwacji w tym względzie – co zresztą Amanda udowodniła mu chociażby w kontekście sytuacji na stacji benzynowej. A może Mirkowi chodziło o coś zupełnie innego? Złapał bogatego, zlęknionego z jakiegoś powodu mieszczucha i chciał ugrać coś dla siebie. Nie zatrzymał go na głównej drodze, gdyż na pewno znaleźliby się świadkowie. Tutaj byli sami. Tutaj mógł o wiele więcej.

W kotle bulgoczących domysłów i pytań bez odpowiedzi nie pozostało Karolowi nic innego, jak tylko spokojnie zaczekać na decydujący ruch adwersarza. Tylko tak mógł poznać jego zamiary. Nie musiał czekać długo. Ten bowiem, z sadystyczną pewnością oprawcy i stoickim spokojem psychopaty, przeszedł do decydującego ataku:

– Coś ci powiem, panie lowelas. Kobiety są niczym posiłek: im bardziej wykwintne i niebanalne danie, tym większa po nim może nastąpić niestrawność. Rozumiesz? Trzymaj się zatem od Pauliny z daleka. Dla twojego dobra.

– Ależ ja… – obruszył się na takie podejrzenie.

– Dobrze, dobrze… Ja już swoje wiem.

Mirek oddał Karolowi dokumenty i wsiadł do samochodu.

– Szerokiej drogi. I nie zgub się ponownie. Aaa… Pomyśl czasem o żonce, a nie tylko o swoim małym. Nie zapominaj, że teraz jesteś opiekunem, a nie kochankiem… I lepiej żebym cię tu więcej nie widział.

– To zabrzmiało prawie jak groźba – oburzył się. Nie miał zamiaru pozostać pokonanym na polu bitwy, bez chociaż minimalnej próby podjęcia walki.

– Gówno mnie obchodzi, jak zabrzmiało. Chyba nie chcesz, abym cię obszukał? Mogę zrobić wam małą rewizję w tej nowobogackiej furze. Małżoneczce na pewno się to nie spodoba. A zapewniam, że i ty nie będziesz zbyt szczęśliwy z wyniku. Kto wie, co znajdę… A znajdowałem już takie rzeczy, że ho ho…

Ruszył, obsypując zastraszonego rozmówcę, wzniesionym w powietrze spomiędzy kół samochodu, liśćmi.

Karol obserwował w bezruchu, jak radiowóz stopniowo zostaje pochłonięty przez las. Po chwili przed jego oczami pozostała już tylko wszechobecna kompozycja jesiennych barw. Zmiótł z ubrania drobne liście i igiełki, po czym ruszył do samochodu. Zanim do niego doszedł, zauważył, że Amanda już nie śpi.

– Co robiłeś sam na zewnątrz? – zapytała, gdy usiadł za kierownicą.

– Nic – odparł uspokojony faktem, iż ocknęła się, gdy Mirka już nie było.

– Czasem naprawdę dziwnie się zachowujesz.

12.
Déjà vu

– Bardzo interesująca kobieta.

– O kim mówisz?

– Dobrze wiesz, o kim – spojrzała wymownie na męża.

– Domyślam się, że o Paulinie. – Czuł, że Amanda go obserwuje, mimo to nie odwrócił się w jej stronę. – Myślisz, że to ona jest interesująca czy może raczej historia jej rodziny?

– Jedno ma chyba nierozerwalny związek z drugim?

– To fakt – pokiwał potwierdzająco głową.

– Do tego jest piękna i odważna.

– Odważna?

– Ej! Nie zaprzeczyłeś, że piękna – poczęstowała rozmówcę solidnym kuksańcem w ramię.

– Powiedzmy, że jej uroda jest równie interesująca, jak jej osobowość i historia jej rodziny – wybrnął umiejętnie ze słownej pułapki, jaką zastawiła na niego Amanda. – Co miałaś na myśli, mówiąc o jej odwadze?

– To, że wróciła w rodzinne strony po tym wszystkim, co spotkało jej babcię i matkę.

– Na dodatek kontynuuje ich dzieło – dodał, wciąż nie odrywając wzroku od drogi.

– Wiesz co? Biorąc pod uwagę to, co przed chwilą usłyszałam od Pauliny, to naprawdę cieszę się, że jadę spotkać się z matką. Że będę rodzić blisko niej. Ty tego nie zrozumiesz, ale pomiędzy matką a córką jest specyficzna więź. Bardzo mocna. O wiele głębsza niż pomiędzy ojcem i synem. Tak mi się przynajmniej wydaje. Mój brat z ojcem nie żyją ze sobą najlepiej. A ty o swoich relacjach z tatą zbyt wiele nie wspominasz.

– No cóż, mężczyźni nie są zbyt ekspresyjni w okazywaniu uczuć. Zwłaszcza względem siebie.

– I to mnie właśnie niepokoi.

– Dlaczego?

– Ze względu na naszego synka.

– Oj przestań – westchnął. – Szukasz problemów na siłę.

– Wybacz, ale jakbyś nie zauważył, to za kilka dni na świat przyjdzie nasze dziecko, i chcę dla niego jak najlepiej.

– A myślisz, że ja nie? Uwierz mi, będzie miał z nami jak w raju. Obiecuję.

– Cieszysz się, że będziesz miał dziecko. Ale cieszysz się zupełnie inaczej.

– Inaczej?

– Jest ci to na rękę. – Rozsiadła się naburmuszona z rękoma splecionymi na piersiach.

– Co?… Co ty wygadujesz?! – zahamował nagle i wlepił w żonę lodowate spojrzenie.

– Dziecko jest ci na rękę, bo przez jakiś czas będziesz miał spokój. Ja utonę w pieluchach i nie będę zawracać ci głowy naszymi marzeniami. A ty skupisz się na tym, co tak naprawdę kochasz: na pracy.

– O co ci, do cholery, chodzi? Chcesz się pokłócić? Odkąd wyjechaliśmy z domu, masz do mnie jakieś wydumane pretensje.

Amanda opuściła głowę, unikając karzącego wzroku Karola. Zabrnęła w ślepy zaułek. Rozpoczęła rozmowę, kompletnie nie wiedząc, jak ją poprowadzić, i co chce w ogóle osiągnąć. W tej sytuacji pozostało jej tylko jedno: wybrnąć z tego z honorem.

– O nic. To hormony. Przepraszam.

Karol docisnął pedał gazu do samej deski bez troski o wiążące się z tym niedogodności dla pasażerki. Miał nadzieję, że mocne szarpnięcie samochodu wstrząśnie nią do tego stopnia, że w końcu się przebudzi i uzmysłowi sobie, iż każdą taką – w jej mniemaniu niewinną – zaczepką mocno go rani. W końcu nie jest gąbką, którą bez końca można nakłuwać. Czasem samo „przepraszam" nie wystarczy, aby zabliźnić rany.

Szczerze dosyć miał już tej podróży: skrót bez końca, pasażerka dręczyciel i na domiar złego gliniarz maniak. Chciał już jak najszybciej odstawić Amandę na miejsce. Zjeść coś pysznego (teściowa Karola była kucharką pierwsza klasa), przespać się i ruszać z samego rana w drogę powrotną. Potrzebował tych kilku dni samotności w Warszawie. W końcu czekała go bardzo ważna rozmowa z prezesami, od której zależała dalsza część jego kariery. A spokój i cisza były najlepszymi doradcami oraz sprzymierzeńcami.

– To przerażające, jak okropni potrafią być ludzie – zagadnęła po chwili krępującej ciszy.

– Mam nadzieję, że mówisz o sobie.

– Nie, głuptasku – zaśmiała się. – O historii Pauliny. Jak ludzie mogli się zwrócić przeciwko Teresie? I to po tym wszystkim co dla nich robiła. Przecież im pomagała. A oni… Wystarczyło tylko, że zaczęła nie odpowiadać jednej osobie. Jak to możliwe?

– Nie wiem. Może to kwestia strachu. Łatwowierności. Ciemnoty. Prostymi ludźmi bardzo łatwo jest sterować. Wystarczyło kilka nieprawdziwych artykułów w prasie i srogie słowa księdza z ambony. Resztę ludzie zapewne dopowiedzieli już sobie sami, plotkując. Do tego te sfabrykowane dowody w sprawie kradzieży drzewa z lasu. Niewygodnych ludzi można pozbyć się na wiele sposobów. Najlepiej w świetle prawa.

– Przyjmujesz to tak na chłodno.

– Świat jest pełen podobnych historii. Nie ma się czym emocjonować.

– Kiedy Paulina to opowiadała, byłeś o wiele bardziej przejęty – zauważyła z przekąsem.

– Troszeńkę. Ale nie aż tak jak ty. Odpłynęłaś niczym dziecko, któremu babcia czyta bajeczkę na dobranoc. A ja po prostu staram się nie zatruwać sobie głowy niepotrzebnymi sprawami. I tobie radzę zrobić to samo. Okaż ludziom trochę zainteresowania, a wciągną cię w swój świat. Głównie w swoje problemy. Szczęściem się nie dzielą. Dyskontują je w samotności. Jesteśmy pod tym względem pieprzonymi egoistami. Wszyscy.

– Ty też?

– No cóż… Ja się tobą z nikim nie dzielę – zerknął na Amandę, puszczając do niej zalotnie oko.

Uśmiechnęła się. Uwielbiała, kiedy był taki szarmancki. Wyłapywała każde tego typu słowo i gest, delektując się nimi jak największymi rarytasami. Ostatnio tak rzadko obsypywał ją podobnymi komplementami. Coraz rzadziej.

– Nie masz się czym zadręczać – zwolnił, przejeżdżając przez leżący na środku drogi konar drzewa. – Ta opowieść ma też pozytywny aspekt.

– Tak…? Jaki?

– Nie zapominaj, że Krystyna wróciła z małą Pauliną w rodzinne strony, aby oczyścić imię matki i aby kontynuować jej dzieło.

– Tak… i wzięto je obydwie za czarownice – westchnęła oburzona.

– I tak dobrze, że nie żyły w średniowieczu. Wtedy od razu spalono by je na stosie – parsknął śmiechem.

– Przestań żartować sobie z takich spraw.

– Jezu, Amanda! Czy nie dość mamy swoich problemów?

– Dobrze wiesz, że nie potrafię przejść obojętnie obok takich rzeczy.

– Paulina musiała się komuś zwierzyć i trafiło na nas. Potraktuj to więc jako dobry uczynek. Poza tym nie wiadomo, czy mówiła prawdę. Nie zapominaj, że byliśmy zupełnymi *tabula rasa*.

– Co masz na myśli?

– Nie jesteśmy z tych okolic. Nie znaliśmy tej historii. Mogła więc przedstawić nam swoją wersję. A my nie mieliśmy żadnego punktu odniesienia. Zupełnie jak na spowiedzi. Albo raczej... jak w rozmowie z psychiatrą, ten jest bowiem bezstronny.

– Nie bluźnij – upomniała go zbulwersowana.

– Im szybciej wymażesz to z pamięci, tym dla ciebie lepiej.

– To nie będzie takie proste.

– Masz. Może to pozwoli ci szybciej zapomnieć – wyciągnął garść cukierków, które zabrał z domu Pauliny. – Kupiłem na stacji – skłamał bez ogródek, wyprzedzając jej nieuniknione pytanie, jak wszedł w ich posiadanie. Amanda, zagorzała katoliczka, na sto procent bowiem nie wzięłaby ani jednego, odkrywszy prawdę.

– Nie, dzięki. Nie mam ochoty.

– Okay, twoja strata. – Pozostawił sobie jedną sztukę, a resztę schował z powrotem do kieszeni. – Mmmm... Mniam. Pyszny – delektował się nad wyraz ostentacyjnie smakiem toffi. – Na pewno nie chcesz?

– Udław się, prostaku.

Zgodnie z życzeniem, złapał się za gardło, wywalając język na wierzch. Amanda jak zwykle dała się nabrać na jego żart. Wpierw zlekceważyła całą sytuację, prosząc go, by przestał się wygłupiać. Kiedy jednak jej kolejne napomnienia nie przynosiły efektu i zgrywus stawał się coraz bardziej siny na twarzy, na poważnie przejęła się jego stanem. Gotowa już była podjąć jakieś środki zaradcze, kiedy nagle zahamował, przerywając całe przedstawienie.

Patrzył przed siebie nie dowierzając własnym oczom.

– Co, do kurwy nędzy! – syknął, ze złością rozgryzając cukierka. – Czy ja mam jakieś pieprzone déjà vu?

– Karol, co się dzieje? Powiedz mi, że to nie jest to samo miejsce.

– Obawiam się, że tak.

Spoglądał na przemian to w ekran nawigacji satelitarnej, to znów w znajdujące się tuż przed nimi rozgałęzienie dróg.

– Nic z tego, kurwa, nie rozumiem. Jakim cudem zatoczyliśmy koło? – gorączkował się.

– Jesteś pewien? Może tylko podobnie wygląda? – zapytała z nadzieją.

Karol wyszedł z samochodu i oparł się o jego przednią maskę. Po chwili dołączyła do niego Amanda.

– Weź, ubierz się, zrobiło się chłodno – wręczyła mu ciepłą sportową marynarkę.

– Dzięki, właśnie tego potrzebowałem – założył odzienie, po czym pocałował ją w czoło.

– Co teraz będzie?

– Albo ja przeoczyłem jakiś istotny szczegół, albo ktoś robi sobie z nas jaja.

– Chyba nie sądzisz, że Paulina wprowadziła nas celowo w błąd. Po co miałaby to robić?

– Daj mi się zastanowić.

Analizował w głowie wskazówki otrzymane od Pauliny. Wszystkie zbiegały się w logiczną ścieżkę, na końcu której znajdowały się jednak niepokojące słowa Mirka: „I nie zgub się ponownie".

– Nie kontrolowałeś trasy, kiedy spałam? Karol, na miłość boską, ściemnia się. Za chwile będzie noc. Jak to sobie wyobrażasz? Mamy spać w lesie, w samochodzie?

– O co ci chodzi?! Zejdź ze mnie! Robię, co w mojej mocy, do cholery!

– Nie wydzieraj się na mnie – ukryła twarz w dłoniach. – Znowu na mnie krzyczysz. Obiecałeś mi, że już tego nie będziesz robił.

Karol machnął ręką i odszedł w głąb lasu.

– Dokąd idziesz? – zaszlochała.

– Odlać się. Zaraz wracam.

Szedł, stawiając ostrożnie kroki. W lesie było o wiele ciemniej niż na drodze, na którą padały jeszcze resztki promieni zachodzącego słońca, wpadające przez prześwit w lesie tuż nad nią. Po około stu metrach zatrzymał się i spojrzał za siebie. Amanda było ledwo dostrzegalna. Przykucnął zatem pod drzewem i sięgnął do wewnętrznej kieszeni marynarki. Wyciągnął plastikowy pojemniczek. Odkręcił zawleczkę, a następnie na wyprostowanym palcu wskazującym lewej ręki, usypał białą linię. Zatkał palcem prawej ręki jedną z dziurek nosa i wciągnął białą smugę. Powtórzył rytuał jeszcze raz, zasysając proszek do drugiej z komór nosa.

– Karol! – dobiegły go słowa zaniepokojonej żony. – Wracaj szybko!

– Już idę, skarbie! – schował pojemnik do kieszeni marynarki. Wstał i otrząsnął się energicznie. Szybkim krokiem ruszył w kierunku samochodu.

– Jedziemy w lewo. Tak jak poprzednio. Mamy do pogadania z pewną panią – oznajmił mocno nabuzowany.

13.
Zeznanie Wiktorii Walczak – matki Amandy

Prowadzący: Kiedy rozmawiała pani z córką po raz ostatni?
Wiktoria Walczak: W sobotę 25 września.
P: O której godzinie?
WW: Około południa.
P: W jakich okolicznościach?
WW: Dzwoniła do mnie z samochodu. Byli w drodze do mnie.
P: Czy coś panią zaniepokoiło podczas tej rozmowy?
WW: Nie, nic. Wszystko było w porządku. Miała przyjechać
na czas.
P: Na pewno? Może coś ukrywała?
WW: Nie mamy przed sobą żadnych tajemnic. Mówi mi
o wszystkim. Dosłownie o wszystkim. Rozumie pan?
P: Rozumiem… Kiedy zorientowała się pani, że coś jest nie tak?
WW: Próbowałam się do niej dodzwonić. Jednak nie odbierała.
P: Nie odbierała czy była poza zasięgiem?
WW: Raczej to drugie.
P: Raczej czy na pewno?
WW: Na pewno… Teraz rozumiem, dlaczego. Byli w tym
przeklętym lesie… Pozostała tylko modlitwa.
P: Czy ktoś źle życzył Amandzie lub Karolowi?
WW: Co, Amandzie?! Nie, broń Boże! A Karolowi – nie wiem.
Ale wcale by mnie to nie dziwiło. Nigdy mu nie ufałam.
P: Dlaczego?
WW: On nawet nie jest katolikiem. Oszukał mnie na ślu-
bie. Udawał, bezbożnik, bo wiedział, że byłabym przeciwna

ich małżeństwu. Przyjął nawet sakrament święty. To ciężki grzech.

P: Czyli można powiedzieć, że córka też panią okłamała. Na pewno o tym wiedziała.

WW: Nie, nie okłamała. Zataiła. To zupełnie coś innego, na litość boską!

P: Proszę się uspokoić i opowiedzieć coś więcej o Karolu.

WW: Co mogę powiedzieć... Mało co o nim wiem... Ja tak naprawdę nawet nie poznałam jego rodziców. Ojciec umarł wiele lat temu, a z matką zamieniłam zaledwie kilka zdań na ślubie. Co można powiedzieć o człowieku, jeśli nie zna się jego rodziców. Zagadka... Po prostu mu nie ufam. Źle mu z oczu patrzy. Liczą się dla niego tylko praca i pieniądze. Przynajmniej pod względem finansowym córce niczego nie brakuje.

P: A czego jej w takim razie brakuje?

WW: Pan rozumie... Ona nie jest z nim szczęśliwa. Chce od życia zupełnie czegoś innego, niż on jej oferuje.

P: Może pani rozwinąć ten wątek. Bardzo interesują nas relacje pomiędzy zaginionymi.

WW: Czy Karol jest podejrzany?

P: Tego nie powiedziałem. Badamy wszystkie wątki i poszlaki. To standardowa procedura.

WW: Proszę mi powiedzieć czy to on?! O Boże. To on! On to zrobił! Zabił ją! Zabił dziecko! Wy to wiecie!

P: Kto? Karol?

WW: Dowiedział się. Matko Boska! Dowiedział się!

P: Czego się dowiedział?

WW: Tylko mnie o tym powiedziała.

P: Proszę się wziąć w garść i odpowiedzieć na moje pytanie: O czym Karol mógł się dowiedzieć?

WW: Dziecko... Karol nie jest ojcem.

14.
Wielkie „K"

Zapadła kompletna ciemność. Drogę przed samochodem roz-
świetlały jedynie lampy halogenowe pojazdu. Rzucany przez
nie snop światła był na tyle mocny, że Karol bez problemu
odpowiednio wcześnie wyłapywał wszystkie większe nierów-
ności napotykane w czasie swego szaleńczego pędu. Amfetamina krążąca w żyłach wyostrzyła mu zmysły. Jego motor na-
pędowy – bez tego nie mógłby pracować kilka dni pod rząd
po czternaście godzin, czego często wymagały od niego pro-
jekty z gatunku „na wczoraj" – który miał dodać mu energii
i rozjaśnić umysł przed czekającym go wyzwaniem. Rozmowa z Pauliną, a następnie przedarcie się przez las i pozostała
droga do teściów to bite kilka godzin. Wpatrywał się przed
siebie niczym zahipnotyzowany, stukając nerwowo palcami
o obręcz kierownicy. Otaczająca ich dookoła czarna ściana
nocy sprawiała, iż czuł, jakby poruszał się w długim tune-
lu, na końcu którego spodziewał się światła znamionującego jego koniec.

– Karol, wydaje mi się, że dom Pauliny powinien być już
niedaleko. – Amanda uważnie obserwowała lewą stronę trasy,
wypatrując celu. – Zwolnij, bo go przegapimy w tych ciemnościach.

– Tak. To już powinno być gdzieś blisko – potwierdził, nie
zmieniając jednak tempa jazdy.

– Zatem zwolnij.

– Panuję nad sytuacją – zapewnił.

– Nasze aktualne położenie świadczy o czymś zupełnie innym.

– Nie dramatyzuj. Lada moment wszystko się wyjaśni.

Amanda parsknęła powątpiewająco. Już miała rzucić w kierunku męża jakąś słowną ripostę, gdy wtem mignął jej przed oczami niewyraźny kontur domu.

– Stój! Minęliśmy go! – krzyknęła.

Karol wcisnął hamulec, zmuszając do pracy elektroniczne systemy bezpieczeństwa samochodu. Odwrócił się do tyłu.

– Gdzie? Nic nie widzę.

– Był. Przysięgam.

– Dawno?

– Przed momentem. Zawróć.

– Nie było żadnego skrętu – powątpiewał w jej spostrzegawczość. – Zauważyłbym. Do domu Pauliny prowadziła przecież wyraźna droga. A ja takowej nie widziałem. W koło same drzewa i zarośla.

– Przegapiłeś go. Pogódź się z tym. Choć raz przyznaj się do błędu, do cholery!

Zawrócił. Nie widział sensu kłótni. Amanda była tak rozgorączkowana i pewna siebie, iż żadne słowa by jej nie przekonały.

– O widzisz! – wskazała ręką. – Tam po prawej.

Zatrzymał samochód. Szybkim manewrem ustawił go w pozycji, w której reflektory idealnie oświetlały ukrytą w lesie chatę.

– Amanda, to nie jest ten dom. To jakaś ruina. Już stąd widać rozwalone okiennice i powybijane okna. Prowadząca do niego droga jest cała zarośnięta.

– Faktycznie to nie ten – wyostrzyła wzrok, chcąc odkryć jak najwięcej detali. – Ale przyznasz, że mogłam się pomylić. Jest bardzo podobny. Ganek, okna, płot, a nawet szopa.

– Na wsiach bardzo wiele domów jest do siebie podobnych. Dawniej budowano według sprawdzonego schematu. Nikt nie porywał się na jakieś architektoniczne perełki. Przede wszystkim miało być szybko, tanio i praktycznie. Na ekstrawagancje stać było tylko nielicznych. Głównie właścicieli dworków czy pałacyków. Chociaż i te były często bardzo do siebie podobne. Zresztą, w miastach nie było inaczej.

– A teraz może jest lepiej? – zapytała kąśliwie.

– No cóż... Ja przynajmniej staram się coś robić, aby było inaczej.

– Panie wizjonerze architekcie... Jeśli to nie jest ten dom, to w takim razie nie jest to również ta sama droga. Przecież poprzednim razem nie mijaliśmy żadnego innego – zauważyła przytomnie.

– Daj mi się zastanowić – powiedział, po czym wyszedł z samochodu.

– A ty gdzie znowu się wybierasz? – zapytała z obawą.

Stanął w świetle reflektorów, darując sobie odpowiedź. Wyciągnął ręce na boki, rozciągając zastałe kończyny. Okręcił kilkakrotnie głową dookoła, rozluźniając zesztywniałą szyję. Zrobił kilka szybkich przysiadów. Potruchtał chwilę w miejscu, po czym wrócił do pojazdu.

– Wiesz... Masz absolutną rację z tym domem: nie mijaliśmy żadnego innego. A to oznacza, że jedziemy całkiem nową drogą. Zatem to rozgałęzienie nie było tym, o którym myśleliśmy. Podążamy dobrą trasą i już niedługo powinniśmy wyjechać na asfalt.

– Jest też inna możliwość – jej głos drżał wprowadzony w wibrację przez strach i zdenerwowanie. – Zabłądziliśmy.

– Starajmy się myśleć pozytywnie, skarbie.

– Źle skręciliśmy. Zamiast w lewo, powinniśmy w prawo.

– Możliwe. Ale wybrałem ten skręt, ponieważ był po lewej, czyli po południowo-wschodniej stronie. Z logicznego punktu widzenia jest to zatem jak najbardziej prawidłowa droga.

– Coś mi się wydaje, że będziemy musieli zawrócić i wybrać drugą opcję – obstawała wytrwale przy swoim.

– Nie dramatyzujmy. Jedźmy dalej przed siebie.

– I długo tak zamierzasz jechać? Aż skończy się droga? Czy może aż zabraknie nam paliwa?

– Więc co proponujesz?

– Już sama nie wiem – ukryła twarz w dłoniach. – Po prostu nie chcę tu nocować.

– A myślisz, że ja chcę? Sądzisz, że mnie to bawi?!

– Nie krzycz na mnie, proszę – zaszlochała.

– Tylko mi tu nie płacz. Twoje łzy nic nie pomogą. Nie przetrą nam szlaku.

– Czasami mnie przerażasz, wiesz? Nagle znikasz duchem. Stajesz się obcy. Co się z tobą stało?

Gdy odsłoniła twarz, w bladym zielonym świetle rzucanym przez wyświetlacze kokpitu samochodu Karol zauważył łzy, wolno spływające po jej policzkach.

– Przepraszam – wytarł je wierzchem dłoni. – Faktycznie czasami zachowuję się jak dupek.

– „Dupek" to mało powiedziane – przez parawan smutku Amandy przedarł się lekki uśmiech.

– Zróbmy tak – postanowił załagodzić napiętą sytuację i znaleźć konsensus – jedźmy jak do tej pory. Nawigacja wskazywała kierunek południowy, więc dobrze jechaliśmy. A jeśli przez dłuższy czas nic się nie zmieni, to zawrócimy.

– Zawróćmy od razu – poprosiła. – Przecież Paulina mówiła, że główna droga jest blisko. Ewidentnie jedziemy złą trasą.

– Mówię ci, że już niedaleko do wyjazdu. Zaufaj mi.

– Chciałabym, ale od pewnego czasu, nie dajesz mi ku temu sposobności.

– Co chcesz przez to powiedzieć?

– Tkwisz tu i jeszcze pytasz?

– Uważasz, że to moja wina?

– Upraszczasz jak każdy facet. Jeśli jesteś niewidomy, to przynajmniej naucz się czytać brajlem.

– A ty gmatwasz jak każda baba. Powiedz jasno, o co ci chodzi?

Patrzyli na siebie, wyczekując na kolejny ruch oponenta. Żadne z nich nie chciało bowiem kontynuować tej bezsensownej dyskusji, ale i żadne nie miało zamiaru odpuścić i dać za wygraną.

– Żeby chociaż nasze telefony działały – Amanda jako pierwsza odpuściła i zmieniła temat. – Mama na pewno się już poważnie niepokoi.

– Mamusia. Znowu ta twoja zakichana mamusia.

– Przestań ją obrażać. Ona na pewno coś by wymyśliła.

– Tak, bez wątpienia. Myślę, że kazałaby nam otworzyć jakiś alkohol i wysłałaby twojego ojca na poszukiwania. Wywęszyłby nas z zamkniętymi oczami.

– Myślałam, że jesteś mądrzejszy – westchnęła rozczarowana zachowaniem Karola żona. – Ruszaj i nie waż się do mnie odezwać. Temat skończony.

***

Siedzieli wpatrzeni w znajdujące się przed nimi rozgałęzienie drogi. Dalsza eksploracja lewej odnogi (od momentu wyruszenia spod zrujnowanej chaty) trwała niespełna piętnaście minut i ponownie zaprowadziła ich do punktu wyjścia.

Karol kiwał z niedowierzaniem głową, klnąc cicho pod nosem. W jego oczach było tylko jedno wytłumaczenie, dlaczego ponownie wylądowali w tym samym miejscu: lewa trasa zataczała koło i wracała do rozgałęzienia. Ale jaki sens miałaby taka droga, przecząca swej naturze? Droga niemająca końca ani początku, nigdzie nieprowadząca. Znał kilka podobnych tworów. Jednym z nich było rondo drogowe. Ono jednak miało cel. Było skrzyżowaniem o bezpiecznym ruchu okrężnym, a tego z czym miał do czynienia, bynajmniej żadnym skrzyżowaniem dróg nazwać nie mógł. Do tej listy dorzucić mógł jeszcze okrężną zatoczkę pozwalającą zawrócić pojazdom o dużych gabarytach oraz drogę okrążająca jakiś konkretny obiekt, na przykład jezioro lub mokradła. Czyżby zatem lewa odnoga okrążała mokradła, o których wspominała Paulina?

Amanda wiedziała, że w mózgu męża trwa teraz istna burza. Nie chciała zatem zabierać głosu, ani tym bardziej pysznić się, iż miała rację. Wystarczyła jej cicha tego świadomość. Słodycz, która niestety miała dość cierpki posmak: nie przybliżyli się bowiem choćby o mały krok do celu. Karol i ta jego męska logika. Chociaż nie wiadomo jak wymyślna, to i tak niemająca szans rywalizować z jej kobiecą intuicją. Miała tylko nadzieję, że Pan Nieomylny z pokorą przełknie swój błąd i bez słowa tłumaczenia postąpi tak, jak to zasugerowała już jakiś czas temu.

Karol westchnął ciężko, po czym bez jakiegokolwiek słowa wybrał skręt w prawo.

***

Sącząca się z głośników muzyka wypełniała wnętrze samochodu. Pomimo wielu prób Karolowi nie udało się złapać ani jednej stacji radiowej. Posiłkowali się zatem bogatą kolekcją płyt, które woził w samochodzie, oraz tymi, które Amanda zabrała w podróż. Kompletna cisza w obecnej sytuacji byłaby nie do zniesienia. Zatopieni w myślach wyczekiwali upragnionego końca leśnego traktu.

Karol wciąż rozpamiętywał przebytą trasę, próbując pozbierać wszystko w całość. Ewentualne dotarcie do celu prawą odnogą byłoby niczym gotowa odpowiedź podana mu na tacy, a takie rozwiązanie go nie interesowało. Musiał zrozumieć. Analizował zatem słowa Pauliny i konfrontował je ze wskazówkami, jakich udzielił mu Piotr. Odtwarzał w pamięci każdy przebyty kilometr, skręt czy istotny detal.

Amanda z kolei poddawała wiwisekcji jego zachowanie. Fakt, że był uparty jak osioł (w jego odczuciu zwyczajnie konsekwentny w działaniu) i wszystko musiało iść po jego myśli, było czymś naturalnym i zdążyła się z tym pogodzić. W końcu to dzięki niemu prowadzili całkiem wygodne życie w Warszawie i to on przygotowywał wszystkie podróże, które udało im się wspólnie odbyć. To on planował trasy i organizował większość środków finansowych. Doskonale wiedziała, że bez jego zaangażowania tak upragniona przez nią długoterminowa eskapada nie miała prawa dojść do skutku. Nie tłumaczyło to jednak w najmniejszym stopniu jego ostatniego zachowania – napięć, jakie wprowadzał, nerwowości, podniesionego głosu oraz krzyków. Sytuacja, w jakiej się znaleźli, była trudna dla nich obojga. Dla Amandy jednak zdecydowanie trudniejsza – w końcu była w ciąży. Najważniejsze było teraz bezpieczeństwo dziecka. A miała wrażenie, że Karol o tym zupełnie zapominał.

– Kurwa, nie wierzę – Zatrzymał samochód przed rozwidleniem drogi. – To jest jakiś pierdolony koszmar. To znowu to jebane rozwidlenie!

– Karol, proszę, nie klnij tak przy mnie. Chociaż ty zachowaj zimną krew!

– Ciii… – uciszył ją. – Daj mi się zastanowić.

– Zawróćmy, tak na pewno dojedziemy do Pauliny – zasugerowała. – Albo najlepiej jedźmy z powrotem do miejsca, w którym wjechaliśmy do tego przeklętego lasu i kontynuujmy jazdę według pierwotnego planu. Dojedziemy późno w nocy, ale przynajmniej dojedziemy.

– Co?… Wykluczone!

– Tak trudno przyznać ci się do błędu?

– Do jakiego błędu?

– Zgubiliśmy drogę. Przyznaj to wreszcie.

– O nie! – Karol pozostał głuchy na prośbę żony. – Zrobimy to po mojemu.

Wyszedł z samochodu i otworzył tylny bagażnik. Po chwili udał się w kierunku rozwidlenia dróg, dzierżąc w ręku ostry scyzoryk. Na najlepiej widocznym drzewie, znajdującym się dokładnie pośrodku rozwidlenia, wyrył wielką literę „K".

Wrócił do samochodu.

– Nikt nie będzie robił ze mnie idioty – powiedział i ruszył, wybierając lewą odnogę drogi.

***

Karol już z oddali rozpoznał wyryty przez siebie znak. Bez zatrzymywania się, skręcił więc w prawo.

– Co ty chcesz tym udowodnić? – Amanda miała już dość. Łzy same cisnęły jej się do oczu. – Szkoda naszego czasu. Zawróć od razu – błagała, ściskając w palcach medalik z wizerunkiem Maryi.

– Muszę mieć dowód.

– Jaki dowód?... Chyba dowód swego szaleństwa. Przecież to jest to samo rozgałęzienie, na litość boską. Zachowujesz się jak nakręcony. Co się z tobą dzieje?

Darował sobie komentarz. Amanda nic nie rozumiała. Jeśli obydwie drogi zataczały koło i prowadziły do tego samego rozwidlenia, to musiał mieć na to dowód – materialny, ten wyryty. Nie mógł pozostawić tego domysłowi. Wprowadziłoby to bowiem chaos. A chaos był czymś, czego starał się unikać w swoim prywatnym, a tym bardziej zawodowym, życiu – w jego wizji architektury nie było dla niego po prostu miejsca.

Żałował tylko, iż nie wpadł na ten pomysł o wiele wcześniej. Zaoszczędziłby wtedy sporo niepotrzebnie zmarnowanego czasu.

***

Po niespełna półgodzinie, w czasie której Karol nie zamienił ze swą pasażerką ani jednego słowa, zatrzymał samochód tuż przed swoim drzeworytem.

– „K" jak koło – pokiwał twierdząco głową, jakby odkrył jakąś złożoną matematyczną regułę.

– Raczej „K" jak kretyn.

– Mów, co chcesz, ale teraz możemy już powrócić do pierwotnego planu: rozmowy z panną Pauliną.

***

W drodze powrotnej cel ich poszukiwań powinien znajdować się po prawej stronie. I właśnie tam Karol nakazał Amandzie wypatrywać pięknej leśnej chatki, która na pierwszy rzut oka, w panujących ciemnościach mogła niczym nie różnić się od jakiejś zwykłej rudery – choćby takiej, którą Amanda nie tak dawno wzięła za dom Pauliny. Tym razem jechał zdecydowanie wolniej. Nie chciał przegapić domku i, brnąc dalej przed siebie, powrócić do miejsca, w którym wjechali do lasu – byłaby to bowiem dla niego zbyt gorzka lekcja pokory.

Zastanawiał się, jaką formę powinna przybrać ich wizyta. Czy ze względu na późną porę – kiedy dotrą na miejsce będzie już około godziny dwudziestej pierwszej – mają przeprosić gospodynię za najście i poprosić jeszcze raz o wskazówki? Możliwe przecież, że to on wszystko pomieszał i całkiem opacznie zrozumiał jej wytyczne. A może powinni postąpić wręcz przeciwnie: wjechać z rumorem i żądać od niej wyjaśnień? Wersja, iż to Paulina wprowadziła ich w błąd – celowo lub też nie – była dla niego o wiele bardziej do zaakceptowania. Agresywne zachowanie byłoby zatem jak najbardziej usprawiedliwione. Jasno i czytelnie daliby jej do zrozumienia, że nie pozwolą sobie na żadne porąbane zagrywki z jej strony. W końcu słowa Mirka zabrzmiały, jakby policjant wiedział, że Karol jechał niewłaściwą drogą lub przewidywał, iż w każdej chwili może zabłądzić, a fakt, że go o tym nie uprzedził, świadczył już tylko o tym, iż gliniarz był naprawdę niezłym skurwysynem.

W całym tym równaniu było jednak zbyt dużo niewiadomych. Zdecydował zatem, że najzwyczajniej odda się chwili. Poczeka na reakcję Pauliny na ich widok. Wtedy oceni sytuację i będzie wiedział jak postąpić.

Po lewej stronie minęli zrujnowaną chatę, bardzo podobną do tej, którą nie tak dawno pomylili z domem poznanej dziś znajomej. Karol próbował przypomnieć sobie, czy od momentu wyjazdu od Pauliny mijali ją po drodze, ale nie mógł znaleźć w pamięci choćby delikatnego przebłysku jej obrazu.

Szybko znalazł na to odpowiedź: po prostu tego nie zakodował, zwracając wtedy uwagę na coś zupełnie innego.

Amanda wymieniała właśnie płytę w odtwarzaczu, kiedy jej ciałem, pod wpływem nagłego hamowania, ostro szarpnęło w przód. Od bolesnego spotkania z plastikową konsolą samochodu uchroniły ją pasy bezpieczeństwa. Spojrzała zaskoczona na męża.

– Nic z tego, kurwa, nie rozumiem. – Zrozpaczony raz za razem ze złością wciskał klakson dźwiękowy w kolumnie kierownicy.

Amanda odwróciła wzrok od kierowcy i spojrzała przez przednią szybę na wyryte w drzewie „K".

15.
Zdrada

– Amando, w zaistniałych okolicznościach, dalsza jazda nie ma chyba najmniejszego sensu – mówiąc to, patrzył żonie prosto w oczy.

– Co masz na myśli?

– Zgubiliśmy drogę – mówił spokojnie, aby nie pogarszać jeszcze bardziej napiętych relacji między nimi. – W tych ciemnościach nie mamy szans czegokolwiek znaleźć.

– Chcesz nocować tutaj, w aucie? – nie mogła uwierzyć w jego propozycję. Zaprzeczyła ruchem głowy, jakby chciała odgonić ją od siebie.

– No cóż… wyciągniemy cieplejsze ubrania. Jedną noc przetrwamy. A z samego rana ruszymy w dalszą drogę. W dzień bez problemu znajdziemy właściwą trasę. Po prostu w tych ciemnościach nie widzimy jakiegoś skrętu lub drogi biegnącej równolegle, do której wystarczy najzwyczajniej przedrzeć się przez chaszcze.

– Karol, nie możemy tu nocować – próbowała odwieść go od tego zamiaru. – A co, jeśli nagle zacznę rodzić? Będziesz umiał odebrać poród? A nie daj Boże, coś się zacznie dziać z Adasiem. Nie ma zasięgu, nie wezwiesz karetki.

– Do tej pory nic się nie działo. Dlaczego więc nagle coś miałoby się stać? To tylko jedna noc. Kilka godzin.

– Nie wiem, czy to dobry pomysł.

– Jedyny rozsądny.

– Boję się…

– Wiem – przytulił ją mocno, licząc, że to ją uspokoi. Do tej pory zawsze był to środek bardzo skuteczny. – Ja też się o was boję. Ale uwierz mi, wszystko będzie dobrze. Obiecuję.

– I po co ci to było? – wtulona w męża mierzwiła czule dłonią jego włosy. – Te wszystkie nerwy. Nie mogłeś wcześniej odpuścić?

– Przepraszam.

Odkleiła się od kojącego uścisku i pokiwała głową. Karol odetchnął z ulgą, po czym ustawił samochód na skraju drogi. Wyłączył silnik. Obydwoje wyszli na zewnątrz. Po otwarciu bagażnika Amanda od razu zanurkowała w walizkach, szukając jakichś ciepłych rzeczy, które pozwoliłby im spędzić noc we w miarę komfortowych warunkach.

– W takich chwilach żałuję, że rzuciłem palenie – oznajmił wpatrzony w ciemną otchłań lasu.

– Oj… też chętnie wciągnęłabym dymka – rozmarzyła się. – Choćby jednego. Adaś na pewno by mi wybaczył.

– Chyba jest pełnia – Karol zwrócił uwagę na księżyc nieśmiało prześwitujący przez drzewa.

– Była przedwczoraj.

– Obserwowałaś?

– Tak, kiedy ty pracowałeś. Było bezchmurnie jak dzisiaj. Dawno nie robiliśmy tego wspólnie. Kupiłeś dobry teleskop i w ogóle z niego nie korzystasz.

– Miałem ostatnio w pracy ciężki okres. Dobrze wiesz...

– Nie tłumacz się. Gdybyś tylko chciał, znalazłbyś chociaż te pół godzinki.

– Nie zaczynajmy ponownie tego tematu.

Nawet nie miała takiego zamiaru. Dość miała trudnych rozmów jak na jeden dzień. Wyselekcjonowała grupę ubrań i zamknęła walizki.

– Niestety, biedaku, nie wciśniesz się w żadne z moich rzeczy, nawet tych ciążowych. Na szczęście mamy koc.

– No cóż, nie planowałem dłuższej wyprawy. Zabrałem tylko świeżą bieliznę.

Amanda naciągnęła na stopy drugą parę skarpet, a na ramiona zarzuciła gruby sweter. Karol pozostał w tym, co miał na sobie: dżinsach, koszuli i ciepłej sportowej marynarce. Usiedli na tylnym siedzeniu, powiększając dostępną im przestrzeń przez maksymalne odsunięcie przednich foteli.

– Nie jesteś głodna? – zapytał, okrywając Amandę i siebie kocem.

– To dziwne, ale nie. Wszystko chyba przez te emocje. Jednak z chęcią skosztuję twoich cukierków toffi, jeśli jeszcze je masz.

Wygrzebał z kieszeni kilka sztuk i poczęstował ją.

– Możesz ściszyć muzykę i nastawić tak, by płyta grała bez przerwy – mówiła, mlaskając niczym dzieciak rozkoszujący się ulubionym przysmakiem. – Nie chcę słuchać nocnego odgłosu lasu. Już zapomniałam jak złowieszczo brzmi. Kiedy byłam mała, godzinami w nim przesiadywałam. Ale robiłam tak tylko w dzień. Nie miałam odwagi zostać w lesie na noc. Za bardzo mnie przerażał.

– Wiem, opowiadałaś mi o tym wielokrotnie. Kiedy chciałaś tylko pobyć sama lub było mi smutno, uciekałaś z domu i biegłaś do lasu…

– A tam miałam już swój bezpieczny świat – dopowiedziała sentymentalnie kończąc myśl Karola.

Zmieniła pozycję: położyła się, podkurczając nogi, jej głowa spoczęła na udach męża.

– Za mały ten koc – oznajmiła, próbując podzielić prostokątny materiał równo pomiędzy siebie i Karola.

– Okryj tylko siebie. Mnie jest wystarczająco ciepło.

– Wygodnie ci? – zapytała z troską.

– Tak. A tobie?

– Ooo… i to jak.

– To dobrze.

– Dawno nie spaliśmy w tak niewygodnych warunkach. Pamiętasz kiedy ostatnio?

– Jakoś w trakcie studiów. Ale chyba przesadzasz z tymi spartańskimi warunkami. Masz tutaj łoże obite skórą, klimatyzację oraz świetny system nagłośnienia.

– I ciebie jako poduchę – przycisnęła głowę mocniej do miękkich nóg męża.

– Tak, i mnie jako poduszkę – potwierdził, przypominając sobie wspólne podróże autobusami i pociągami, podczas których przesypiali noce właśnie w takiej pozycji.

– Nie pozwól mi długo spać. Obudź mnie, jak tylko zrobi się widno.

– Dobrze. Zaśnij już – masował ją delikatnie po brzuchu.

Dzień pełen wrażeń – a może właśnie jego kojący dotyk – sprawił, iż bardzo szybko zapadła w sen. Karol wyczuł to po jej oddechu, który stał się o wiele wolniejszy i płytszy. Zazdrościł jej, wiedział bowiem, że sam tak na dobrą sprawę nie zaśnie tej nocy – będzie czuwał. A kiedy już nawet uda mu się zmrużyć oczy na dłużej, i tak obudzi go choćby najdrobniejszy odgłos na zewnątrz. Pocieszał się jednak faktem, iż Amanda czuła się bezpiecznie w jego ramionach – inaczej by nie zasnęła. Było to balsamem na jego bolesną ranę: urażoną męską dumę. Amanda nadal mu ufała i w niego wierzyła. A to było dla niego naprawdę ważne.

Siedział po lewej stronie fotela z głową opartą o zagłówek i skierowaną w boczną szybę. Wciąż nie mógł uwolnić się od ciągłych myśli, jakim cudem wpakował się w ten ślepy zaułek. Nie potrafił o tym zapomnieć choćby na krótką chwilę. Niechciany balast obciążał mu umysł. Kiedy tylko zamykał oczy, myśli od razu zamieniały się w obrazy. Próbował zatem skupić uwagę na muzyce, która leniwie przedostawała się do jego świadomości („Jednak popatrz tam w oddali…") oraz na widoku za oknem.

Mocne światło księżyca sprawiało, że drzewa rzucały niesamowite i pełne najróżniejszych skojarzeń cienie. Spośród wielu narzucających się kształtów, Karol wyodrębnił niezwykle wyraźną i realistyczną ludzką sylwetkę. Skupił wzrok na tajemniczym obiekcie. Chciał się upewnić, czy gra świateł, jego wyobraźnia i zmęczony umysł nie płatają mu aby figla.

Sylwetka jednak wyraźnie się poruszyła. Zesztywniał z przerażenia – ktoś ich obserwował. Obcy o nieznanych, może niecnych zamiarach. Świat był w końcu pełen historii o niebezpiecznych, maniakalnych zabójcach, ukrywających się w lasach i czyhających na samotne, bezradne ofiary.

Postać nie pozostawiła go długo w niepewności: postanowiła się ujawnić. Podeszła bliżej i stanęła w świetle srebrnego globu. Rozpoznał Paulinę. Odetchnął z ulgą.

Szukali jej, a to ona odnalazła ich. Zapewne zauważyła światła samochodu. Byli zatem gdzieś niedaleko jej domu. Chciał już obudzić Amandę, obwieszczając jej nowinę, gdy wtem Paulina przyłożyła palec wskazujący do ust i skinęła na niego głową, jakby mówiła: bądź cicho i chodź za mną. Wahał się tylko przez chwilę, nie było czasu do namysłu, bo nocna zjawa zaczęła się oddalać. Chciał jej zadać zbyt wiele nurtujących go pytań, aby mógł pozwolić jej teraz odejść. Jeśli ją dogoni, nie będzie musiał czekać z wątpliwościami do rana, już teraz mógł uzyskać odpowiedzi i ruszyć w dalszą drogę.

Otworzył delikatnie drzwi i uwolnił nogi spod głowy Amandy. Opuścił cicho wnętrze samochodu, pozostawiając śpiącą w bezpiecznych objęciach morfeusza. Niezwłocznie ruszył w ślad za Pauliną.

– Zaczekaj – zawołał stłumionym głosem, gdy już znaleźli się niewielki kawałek od samochodu – jesteś mi winna kilka odpowiedzi.

Paulina pozostała jednak niewzruszona na jego słowa i wciąż brnęła przed siebie. Po chwili skręciła w prawo i zniknęła w gęstwinie drzew. Podbiegł do miejsca, w którym stracił ją z oczu. Stanął na skraju drogi. Nie dostrzegał żadnego ruchu oprócz pływających po lesie cieni. Nie słyszał żadnego odgłosu zdradzającego jej pozycję, tylko skrzypienie starych, spróchniałych konarów drzew oraz szczebiot nocnych ptaków, spośród których bez problemu wyodrębnił pohukiwania sów. Odizolowany do tej pory od lasu szczelnym wnętrzem samochodu oraz zagłuszającą jego dźwięki muzyką, w końcu poczuł to, o czym wspominała Amanda. Aż dziw bierze, że las nocą może być tak głośny i złowieszczy – zamyślił się pełen trwogi.

Nagle zza drzewa, w pobliżu którego stał, wychyliła się ręka, chwyciła go za marynarkę i pociągnęła mocno do przodu. Stracił równowagę na nierównym gruncie i runął na ziemię. Podparł się rękoma, aby nie zaryć twarzą w liście oraz ostre krzewy. Chciał jak najszybciej stanąć z powrotem w pozycji wertykalnej, jednak pchnięcie nogą ze strony napastnika posłało go ponownie do parteru. Leżąc, obrócił się na plecy.

W tym krótkim ułamku sekundy przemknęła mu przez głowę myśl: wpadł w pułapkę, Paulina jest wabikiem a Mirek katem. Nagle wszystko stało się jasne. Został specjalnie wprowadzony w błąd, aby zabłądził. Zdradziecki, podstępny duet czyhał na jego samochód. Męski członek gangu jest policjantem. Zna sposoby, ma układy. Bez problemu upłynni więc towar. Do granicy ukraińskiej i słowackiej jest stąd przecież tylko rzut beretem.

Spojrzał w górę. Widok osamotnionej Pauliny stojącej nad nim zachwiał na moment jego teorią.

– O co tu chodzi? – sam nie wiedział dlaczego, tak na dobrą sprawę wciąż mówi przyciszonym głosem. – Gdzie jest Mirek?

Paulina usiadła na nim okrakiem i przyłożyła mu palec do ust.

– Uspokój się – uciszała go. – Przecież tego pragniesz.

– Gdzie on jest? O Boże... Amanddaaa – nagle uzmysłowił sobie, że zostawił ją samą. Bezbronna śpi w samochodzie, w celu, do którego teraz zapewne zmierzał Mirek.

– Ejże, kochasiu. Nie lubię trójkątów. Jestem tu sama. – Kobieta rozpięła powoli bluzkę. Nie miała na sobie biustonosza. Przyłożyła jego dłoń do nagich piersi. – Cała tylko dla ciebie.

Karolowi odjęło mowę. Przyjemny dreszcz podniecenia przeszył mu ciało, kumulując się w lędźwiach. Paulina pochyliła się nad nim. Pachniała ziołami i zieloną herbatą. Złożyła na jego ustach soczysty pocałunek. Nie odpowiedział jej. Jego wargi pozostały zamknięte. Po chwili jednak rozchylił usta. Ich języki spotkały się. Smakowała mandarynką i bazylią.

– Zaprzecz, jeśli tego nie chcesz – odchyliła się do tyłu i wyprostowała. Uniosła pośladki, wciąż klęcząc. Rozpięła spodnie i wsunęła dłoń w krocze. Po chwili przyłożyła palce pod nos Karola. – No, zaprzecz, jeśli potrafisz. Jedno twoje słowo a odejdę tam, skąd przybyłam.

Woń pożądania związała mu język na supeł. Zapomniał o nurtujących go pytaniach. Nie oczekiwał już odpowiedzi. Jej palce obsunęły się do jego ust. Przez moment drażniła się z nim, wodząc ich opuszkami po jego wargach. W końcu się przez nie przebiła. Nie stawiał oporu. Otworzył usta i oblizał palce. Smak cielesnej miłości rozlał się w jego żyłach niczym zastrzyk mocnego narkotyku. Potężna dawka serotoniny wprawiła go w euforię. Dreszcz podniecenia spiął mięśnie.

Wstała. Rozsunęła zamek spodni i ściągnęła je. Sterczała nad nim w rozpiętej koszuli i stringach. Widział ją wyraźnie. Księżyc znajdował się dokładnie nad nimi, a odbite przez niego światło słońca nie napotykało na swojej drodze żadnej przeszkody w postaci chmur czy gęstej korony drzew.

– Nie daj się prosić. Wiem, że tego chcesz. Widziałam, jak na mnie patrzyłeś. Nie jesteś zbyt dyskretny. – Podeszła do drzewa i oparła się o nie rękoma. Stanęła tyłem do Karola. Wypięła zalotnie pośladki w jego stronę. – No... nie daj się prosić. Zerżnij mnie.

Podniósł się na łokciach. Spojrzał w kierunku swojego samochodu. W oddali dostrzegł niewyraźną bryłę terenówki.

– Nie bój się. Ona śpi – wyczuła jego obawę. – Nigdy się nie dowie. Chyba że ty jej o tym powiesz.

To był ten moment, uczucie, gdy widmo konsekwencji zostaje przytłumione przez chwilę pożądania. Kiedy opóźnione racjonalne myślenie ustępuje miejsca na torze pędzącemu ekspresowi namiętności. Czuł się jak podczas swojej pierwszej seksualnej inicjacji – miał wtedy szesnaście lat. Jego wielomiesięczne zabiegi o przyzwolenie ze strony rówieśniczki przyniosły efekt pewnego sobotniego wieczoru, kiedy jej rodzice wyszli na imieniny do rodziny. Nie liczyło się to, że oboje nie mieli doświadczenia w tych sprawach, że nie wiedzieli, jak się dokładnie zachować, by zminimalizować prawdopodobieństwo niechcianej ciąży. Liczyła się tylko ta chwila: ona w końcu uległa, a on wreszcie mógł dać upust buzującym w nim hormonom, stłamszonym dotąd niczym bąbelki szampana we wstrząśniętej butelce. Z perspektywy czasu nie może powiedzieć, aby żywił do swojej pierwszej partnerki jakiekolwiek wyższe uczucie niż tylko fizyczne pożądanie. Teraz nie było inaczej. Wtedy jednak nie wiedział, czego może się spodziewać. Teraz wiedział – i pragnął tego.

Podszedł do Pauliny – zaszedł ją od tyłu. Gdy przywarł do niej, zaczęła ocierać się pośladkami o jego przyrodzenie, symulując stosunek. Całował ją po szyi i ramionach. Pieścił jej piersi oraz brzuch. Wsunął prawą rękę w stringi. Wpierw wyczuł miękkość wzgórka łonowego, później ciepło jej sekretu – była wilgotna. Paulina obróciła się i odsunęła go od siebie. Przykucnęła i opuściła mu dżinsy. Ustami i dłońmi pieściła penisa. Karol nie mógł dłużej wytrzymać narastającego w nim ciśnienia. Podciągnął Paulinę i obrócił twarzą do drzewa. Ściągnął jej stringi i wszedł w nią.

***

Po wszystkim oparł się jedną ręką o drzewo. Głowę spuścił w dół. Ciężko dyszał. Paulina pozbierała swoje rzeczy, ubrała się i wyszła na drogę.

– Zaczekaj – przypomniał sobie nagle o nurtujących go pytaniach. – Powiedz, jak mamy stąd wyjechać.

– Przyznaj szczerze, że nie po to za mną poszedłeś.

– Co?... Nie – zaprzeczył. – Mylisz się.

– Aby na pewno?

– Specjalnie wprowadziłaś mnie w błąd. Czy tak?

– Jak mogłabym ci pozwolić odjechać. Zwłaszcza po tym, co przed chwilą przeżyliśmy. Nie mów, że nie chcesz tego powtórzyć.

Ostatnie słowa Pauliny dotarły do niego już z oddali. Zaniepokojony podciągnął spodnie i wybiegł na drogę. Pauliny już na niej nie było.

– Nie zostawiaj nas tu – wycharczał załamany.

Rozglądał się dookoła, biegał jak opętany tam i z powrotem. Nocna zjawa przepadła jednak jak kamień w wodę. Przykucnął i złapał się za głowę. Nogi miał niczym z waty, całkiem jak po trzykilometrowej przebieżce, które regularnie urządzał mu w liceum nauczyciel wuefu.

– I tak cię, kurwa, znajdę, pierdolona czarownico! – rzucił ze złością w ciemną otchłań lasu.

Wrócił do samochodu. Amanda leżała w tej samej pozycji, w jakiej ją zostawił. Ułożył jej głowę na swoich nogach i ponownie zaczął pieścić jej brzuch.

W gąszczu niewiadomych jednego był pewien: nie odnajdzie jutro Pauliny. Bezpośrednia konfrontacja kobiet wiązała się ze zbyt dużym ryzykiem. Nie mógł jej ufać. Ta tajemnicza i zjawiskowa brunetka grała w jakąś niebezpieczna grę. Nie miał innego wyjścia: musiał odnaleźć drogę sam, zabierając swój sekret jak najdalej stąd.

16.
„Tajemnicze zaginięcie młodego małżeństwa" – Głos Bieszczad

Nasze lasy bieszczadzkie skrywają o wiele więcej tajemnic, niż się może wydawać nawet największym ich miłośnikom. Jedną z ostatnich zagadek, która u jednych rozpala wyobraźnię, a u innych z kolei budzi lęk, jest bez wątpienia tajemnicze zaginięcie młodego małżeństwa z Warszawy.

*Do zdarzenia doszło 25 września bieżącego roku w lesie w okolicach miejscowości ***[8]. Zaginieni to trzydziestoletni Karol Matlak oraz jego rówieśniczka Amanda Matlak z domu Walczak. Grozie całej sytuacji dodaje fakt, iż kobieta była w dziewiątym miesiącu ciąży i akurat zmierzała do swojej rodzinnej miejscowości ***, gdzie miała urodzić dziecko. Z informacji, jakie przekazała nam matka Amandy Wiktoria Walczak, wynika, że na świat miał przyjść chłopiec o pięknym imieniu Adam. Zaginieni poruszali się srebrnym samochodem terenowym marki Kia Sportage o numerach rejestracyjnych WB 4589. Z tego co udało się ustalić naszej redakcji, państwo Matlak wjechali do lasu na wysokości miejscowości ***, aby skrócić sobie drogę do celu.*

Powrót koszmaru Jasia Mazura

---

8. Zobacz przypis nr 6.

W tym miejscu warto zwrócić uwagę na fakt, iż nie jest to pierwsze zaginięcie w okolicznych lasach. Na przestrzeni kilkudziesięciu ostatnich lat odnotowano kilka podobnych przypadków – z czego jedno z nich wciąż pozostaje bez wyjaśnienia. Mowa tutaj o zaginięciu dziesięcioletniego Jana Mazura, do którego doszło trzydzieści lat temu. Rodzice zaginionego chłopca wciąż żywo wierzą w jego odnalezienie i pomimo upływu trzech dekad nadal z dużą regularnością penetrują pobliskie lasy. Jest to widok nie tyle dziwny, ile raczej smutny. Wszyscy jednak rozumieją rodziców chłopca, zważywszy na stratę, jakiej doznali.

Legenda Witeckich wciąż żywa

Ostatnią osobą, która miała kontakt z zaginionym małżeństwem, była Paulina Witecka mieszkająca samotnie w rodzinnym domu w lesie, gdzie doszło do zaginięcia. Paulina wywodzi się z rodziny niecieszącej się zbyt dobrą opinią wśród mieszkańców okolicznych miejscowości. Starsi z nich pamiętają jeszcze jak babcia pani Pauliny, Teresa Witecka z domu Kucharska, kilkadziesiąt lat temu weszła w konflikt z prawem i za kradzież drzewa z lasu została skazana prawomocnym wyrokiem sądu na karę więzienia, w którym zresztą wkrótce popełniła samobójstwo. Według nieoficjalnych informacji seniorka rodu, oprócz zainteresowania cudzą własnością, parała się również zielarstwem, szamanizmem a nawet czarną magią. Podobnymi czynnościami zajmowała się także jej jedyna córka Krystyna Witecka, a w swoim oddaniu czarnym mocom doszła aż do takiego stadium, iż wedle lokalnych opowieści, wydała na świat bękarta samego diabła: Paulinę właśnie (która również zajmuje się zielarstwem, prowadząc w *** dobrze prosperujący sklepik).

Wskazać winnego

Główną podejrzaną w całej tej aferze wydaje się być Paulina Witecka i na niej swoją uwagę zdają się skupiać prowadzący *śledztwo. Równocześnie wszystko wskazuje na to, że mieszkańcy – tradycyjnie – dokonali już osądu i w ich oczach wina zielarki nie podlega najmniejszej dyskusji. Jeden z oburzonych mieszkańców powiedział nam: – Nie trzeba być żadnym Sherlockiem Holmesem, aby wskazać winnego zarówno tego, jak i wcześniejszych zaginięć. We wszystkich palce maczały kobiety z lasu.*

*Policja oraz wójt *** apelują jednak o cierpliwość i zdrowy rozsądek. W rejon zaginięcia Matlaków skierowane zostały specjalne oddziały policji, wojska, OSP oraz ochotników złożonych z mieszkańców pobliskich wsi. Nasz informator z policji poinformował nas, że w grupie przeszukującej las znajdują się również incognito policjanci mający obserwować główną podejrzaną oraz zapobiegać ewentualnemu samosądowi ze strony miejscowych.*

17.
Wyprawa

Jako pierwsza przebudziła się Amanda. Otworzyła oczy z wielkim trudem. Powieki stawiały opór niczym sklejone niezwykle rozciągliwym klejem, który ponownie ściągał je ku sobie. Usiadła wyprostowana i zaczęła trzeć oczy palcami. Kiedy za opuszczonymi kurtynami powiek pojawiły się rozbłyski – następstwo intensywnego tarcia rogówek – przesunęła palce na skronie i rozmasowała je delikatnie. Następnie rozciągnęła się jak długa, a potem okręciła kilkakrotnie głową wokół własnej osi. Bolał ją kark, szyja i całe plecy. Nogi miała przykurczone i osłabione, jakby nie używała ich przez wiele dni. Czuła się bardziej zmęczona niż przed snem.

Wszystkie szyby samochodu były zaparowane. Do środka przebijało się matowe światło dnia. Przetarła wierzchem dłoni okno. Po tafli szkła spłynęły krople wody. Poranne słońce rozświetlało wszystko na zewnątrz złocistą barwą.

– Karol, dość tego dobrego – szarpnęła go za ramię. – Obudź się wreszcie!

Zerwał się niczym rażony prądem. Spojrzał na Amandę błędnym wzrokiem. Próbował szybko poskładać w całość fragmenty zapamiętanej i otaczającej go rzeczywistości. Efekt końcowy przyprawił go o ból głowy. Przebłyski utraconej świadomości i towarzyszący im kac moralny po mocno zakrapianej alkoholem nocy wydawały mu się być błahostką, przy tym co aktualnie przeżywał. Największy niesmak pozostawiał ostatni epizod wczorajszego dnia. Przygoda z Pauliną była tak nierealna, iż wydawała mu się tylko snem. Z całego serca pragnął, aby właśnie tym była. Niestety – była rzeczywistością.

– Która godzina? – spojrzał na okrągłą kopertę Edoxa na przegubie lewej ręki (prezent od zarządu Grudziński i Spółka za przyjęcie w poczet pracowników firmy), po czym sam sobie odpowiedział: – Już prawie dziewiąta.

– Nie wspomnę, kto miał kogo obudzić.

– Przepraszam. Późno zasnąłem.

– To cud, że w ogóle do tego doszło. Musiałeś być nieźle zmęczony.

– Chyba tak... – zamyślił się ponowne na wspomnienie nocy.

– Dość tej sielanki. Ogarnijmy się migiem i ruszajmy w drogę.

Cmoknął żonę w policzek i wyszedł razem z nią z samochodu. Przystąpił do wykonywania standardowego zestawu ćwiczeń jak podczas każdej przerwy spowodowanej zbyt długim przesiadywaniem za kółkiem kierownicy.

Nie myśleć. Najważniejsze to nie myśleć, o tym co zrobił. Chciał wymazać zajście z Pauliną z pamięci.

– Czuję się przeżuty i wypluty. Zapomniałem już, jak to jest spać poza wygodnym łóżkiem.

– Potraktuj to jak karę – Amanda obserwowała wygibasy męża, sama zadowalając się jedynie głębokimi wdechami oraz okrężnymi ruchami bioder.

– Co? – spojrzał na nią, zaprzestając ćwiczeń. Przez krótką chwilę ogarnął go irracjonalny lęk, że jakimś cudem odkryła jego nocny sekret.

– Oj, nie patrz tak na mnie. Nie myśl sobie, że ci tak szybko wybaczę fakt wpakowania mnie do tego lasu.

– Wcale na to nie liczę. Sądzę raczej, że wcześniej o tym zapomnisz.

– Ha… zapomnij – wystawiła złośliwie język.

– Nawet nie wiesz, jak bardzo bym chciał zapomnieć.

– Jesteś dziwnie zblazowany – zauważyła.

– Po prostu zmęczony. A czeka mnie jeszcze dzisiaj powrót do Warszawy.

– Odpuść sobie. Zadzwonisz do firmy, że nie możesz przyjść jutro do pracy.

– Nie. Odpada. Mam ważną rozmowę.

– Kochają, to poczekają.

– Raczej nie.

Przypomniał sobie słowa Piotra o tym, czego w najbliższej przyszłości będą od niego oczekiwać prezesi: dyspozycyjności i zaangażowania. Brak obecności w takim dniu byłby tego dosłownym zaprzeczeniem.

– Muszę iść na stronę – zakomunikowała. – Otworzyła samochód i z półki w drzwiach wygrzebała opakowanie nawilżonych chusteczek. – Tylko nie podglądaj.

Krzewy i liście pokryte były poranną rosą. Starała się iść zatem tak, aby jak najmniej zmoczyć wykonane z łatwo przemakalnego materiału buty. Znalezienie odpowiedniego miejsca nie było łatwym zadaniem. Nie miała bowiem ochoty na kontakt nagich pośladków z wilgotnym i zapewne zimnym runem leśnym. W końcu po pokonaniu kilkudziesięciu metrów, natrafiła na to, czego szukała. Kucnęła i spojrzała w stronę, z której przyszła. Karol obracał się powoli wokół własnej osi. Wypatrywał czegoś w lesie.

Gdy wróciła do samochodu, siedział już za kierownicą. Wcześniej przywrócił przednie fotele do pierwotnej pozycji oraz przetarł dokładnie szyby.

– Rozejrzałem się po okolicy, ale wszędzie tylko las. Żadnej innej drogi. A ty coś zauważyłaś? – zapytał z nadzieją.

– Nie.

– Niestety – kontynuował przegląd złych wiadomości – wciąż nie mamy zasięgu w telefonach.

– No to jedźmy odszukać Paulinę. Jest niedziela, więc powinna być w domu. Żałuję, że cię nie posłuchałam i nie zabrałam pasty oraz szczoteczek do zębów. No ale moja mama ma ich pełny zapas, zatem jak zwykle nie było sensu. – Chuchnęła w stronę Karola: – I jak?

– Proszę – roześmiał się i wyciągnął z kieszeni cukierki – to powinno troszkę pomóc.

– Mam nadzieję, że nie powalimy Pauliny odorem z ust.

– W lewo czy w prawo? – Było mu wszystko obojętne, w które rozgałęzienie pojadą. Byleby wyjechać w końcu na asfaltową drogę i nie spotkać po drodze Pauliny.

Amanda wygrzebała z torebki monetę.

– Zdajmy się na los – podrzuciła złotówkę w górę. – Orzeł w prawo, reszka w lewo.

***

Błądzili przez kilka godzin, na przemian wybierając to skręt w prawo, to znowu w lewo. Po każdej takiej serii zawracali, ale i tak ich oczom za każdym razem ukazywała się wciąż ta sama zrujnowana chata oraz złowieszcze „K". Co pewien czas zatrzymywali się i wychodzili z samochodu. Zatapiali wtedy w skupieniu wzrok w otchłani drzew z nadzieją na dostrzeżenie jakiejś równoległej drogi.

Przy którymś z kolei powrocie do rozgałęzienia Karol w końcu nie wytrzymał, wyskoczył z auta i wbiegł w las. Kopał wściekle wszystkie napotkane drzewa, łamał gałęzie i krzyczał:

— Dość tego, jebany zielony skurwysynu! Wypuść nas stąd, do cholery! Słyszysz?!

— Karol, proszę, uspokój się — Amanda podeszła do niego i objęła go, próbując uspokoić. — Nie tędy droga.

— Daj mi się zastanowić — sapał, łapiąc z trudem powietrze w płuca.

— Może powinniśmy spróbować czegoś innego? — zaproponowała.

— Masz rację — oprzytomniał z amoku. — Nie chcę tego, ale musimy na pewien czas się rozdzielić. To jedyna szansa. Ty pójdziesz w jedną stronę a ja w przeciwną.

— Dobrze. Więc tak zróbmy.

— W bagażniku mam taśmę do zabezpieczania budowy. Będziemy jej fragmenty zawiązywać co jakiś czas na gałęziach, by trafić z powrotem do samochodu. Kiedy znajdziemy coś ciekawego lub gdy skończy się taśma, wracamy. Żadnego chojrakowania.

Wrócili do samochodu. Karol wyciągnął biało-czerwoną taśmę i podzielił ją na dwie równe części. Wręczył Amandzie ostry scyzoryk.

Pożegnali się pocałunkiem.

***

Ogołocone z liści gałęzie nie były w stanie zatrzymać tak dużej ilości promieni słońca jak w lecie, i ich ogrom docierał do Amandy, sprawiając, iż mimo że była końcówka września, odczuwała przyjemne ciepło umilające jej trudną wyprawę.

Zgodnie z instrukcją Karola pierwszy znacznik zawiązała w momencie, w którym zaparkowany na drodze samochód stawał się ledwo dostrzegalny. Kolejne pozostawiała, kierując się podobną zasadą: „Zawiązuj je w takiej odległości, abyś stojąc przy jednej, mogła dostrzec następną". I tak wstążka za wstążką.

Oglądała się za siebie, regularnie kontrolując widoczność każdego z ostatnio przywiązanych fragmentów taśmy. Nie miała zielonego pojęcia, jaki dystans zdołała już pokonać. Jedynym wyznacznikiem przebytej drogi była topniejąca w dłoniach taśma. Chciała zabrnąć w swojej eksploracji jak najdalej, dlatego też z czasem ucinała coraz mniejsze jej części. W końcu jednak nadszedł moment, w którym związała na gałęzi ostatni fragment biało-czerwonej chorągwi. Przez chwilę zastanawiała się, czy nie skrócić go jeszcze bardziej i pokonać tym samym dodatkowy odcinek, ale już i tak balansowała na granicy ich widoczności, więc zrezygnowała.

Po pokonaniu kilkudziesięciu kroków zatrzymała się. Nie było sensu iść dalej. Przed nią rozciągał się wciąż ten sam widok: bezkresny las. Nadeszła pora powrotu. „Oby Karol znalazł coś ciekawego" – pomyślała.

– Proszę panią, zgubiła to pani.

Amanda, zlękniona, odskoczyła w bok, uderzając czołem o gałąź sosny. Spojrzała zaskoczona w kierunku zasłyszanego głosu. Kilka metrów od niej stał mały chłopiec. Niebieskooki blondyn w mocno przybrudzonym ubraniu. Na plecach miał założony tornister szkolny w stylu retro.

– O Boże, chłopczyku, co ty tutaj robisz? – zapytała, pocierając obolałe miejsce.

– Zapomniała pani to zabrać – wyciągnął w jej stronę rękę, w której trzymał garść zlepków biało-czerwonej taśmy.

– Skąd to wziąłeś?

– Zostawiła pani na gałęziach.

– Oj, głuptasku – westchnęła. – Specjalnie je tam przywiązałam.

– Po co?

– Znasz mit o nici Ariadny?

– Nie. A co to?

– Ariadna podarowała Tezeuszowi kłębek nici – opowiadała, rozglądając się równocześnie za dorosłymi opiekunami dzieciaka – aby ten mógł się wydostać z labiryntu, kiedy zabije Minotaura mieszkającego na jego końcu. Tezeusz szedł przez długi i ciemny labirynt rozwijając nić, a kiedy już doszedł do celu i zabił potwora, wrócił z powrotem zwijając ją w kłębek. Tak właśnie trafił do wyjścia. I ja również po to zostawiałam te wstążki na gałązkach, abym trafiła bez przeszkód tam, skąd przybyłam.

– A ja nie mam takiej nici – posmutniał.

– A po co ci, głuptasku, taka nić?

– Coby znaleźć dom.

– A co, zgubiłeś się? – zapytała zaniepokojona.

– Aha – przytaknął. Łzy puściły mu się ciurkiem po policzkach.

– Nie płacz – podeszła do chłopca, przykucnęła i przytuliła go. – Jak masz na imię?

– Jasiek.

Chłopczyk przylgnął mocno do Amandy. Był cały roztrzęsiony.

– Jasiu, mama z tatą na pewno już cię szukają – zapewniła jego, i siebie zarazem.

Chłopiec był pierwszą osobą, jaką – według wiedzy Amandy – spotkali od momentu rozmowy z Pauliną. Był ich nadzieją na odnalezienie cywilizacji. I jeśli nawet on sam nie potrafił opuścić lasu, to zapewne już niedługo pojawi się z odsieczą ktoś, dla kogo nie będzie to stanowić najmniejszego problemu. Dla Amandy sprawa była prosta: chłopiec zgubił się podczas zbierania grzybów. Sama bowiem pamiętała, jak w dzieciństwie wrzucała je do sztywnego szkolnego tornistra.

– E-e – zaprzeczył. – Mama z tatą są na mnie bardzo źli.

– Nieprawda. Na pewno się mylisz.

– Prawda – jego ciałem zaczęły wstrząsać histeryczne spazmy. – Przychodzą tutaj i krzyczą na mnie. Są źli, że nie odrobiłem zadań i znowu dostałem dwóję z matmy.

– Na pewno nie jest tak źle. Rodzice zawsze krzyczą. Tacy już są. Przejdzie im. Nie powinieneś się więc od nich oddalać.

– Nie czekają na mnie, a ja nie mogę ich dogonić. Pomożesz mi ich znaleźć?

– Jasne, biedaczku. Pójdziesz ze mną. Niedaleko czeka mój mąż, Karol. Wspólnie coś zaradzimy. Dobrze?

– Dobrze – chłopiec przetarł rękawem zapłakaną twarz. – Będziesz miała dzidziusia, prawda? – zmienił nagle temat.

– Zauważyłeś – uśmiechnęła się. – Tak, będę miała chłop-
czyka, Adasia.

– Mój najlepszy kumpel ma na imię Adam. A ty jak masz
na imię?

– Amanda.

Chłopak wygrzebał z kieszeni czerwoną kredkę i kartkę papieru. Następnie zapisał na niej „Amanda".

– W co się razem bawicie? – postanowiła kontynuować
przyjemny dla malca temat. Wiedziała, jak go uspokoić. Po-
siadała wieloletnie doświadczenie w pracy z dziećmi.

– W wojnę i w policjantów i złodziei. Ale Adam każe mi
zawsze być Niemcem lub złodziejem.

– A gdzie najbardziej lubisz się bawić?

– W lesie.

– W tym lesie?

– Tak.

– To musisz go bardzo dobrze znać.

– Aha.

– Dlaczego więc zabłądziłeś?

– Bo ten jest inny.

– Inny?

– On nie ma wyjścia.

– Co chcesz przez to powiedzieć? – zapytała pełna obawy.

– Mamo, zaczekaj! – chłopak wyrwał się nagle z uścisku
pocieszycielki i ruszył galopem przed siebie.

Amanda, straciwszy oparcie w chłopcu, runęła na ziemię.
Pozbierała się jednak szybko i namierzyła uciekiniera. Chłopak biegł jak oszalały na oślep, wrzeszcząc przez cały czas
w niebogłosy: „Mamo, zaczekaj! Tu jestem! Zaczekaj! Nie od-
chodź!".

– Jasiek! – krzyknęła za nim.

Chciała już ruszyć jego śladem, ale nie zdążyła nawet zrobić kroku, kiedy straciła go z oczu. Stała oszołomiona, wpatrując się w punkt, w którym zniknął. Jeżeli pobiegnie w nieznanym kierunku, i nawet uda się jej odnaleźć chłopca, to miała raczej małe szanse wrócić z nim z powrotem na miejsce, gdzie aktualnie się znajdowała, aby odszukać pozostawione przez siebie znaczniki i za ich wskazaniem powrócić do samochodu. Zgubi się. O ironio losu – jakby już nie byli z Karolem zgubieni..

Z wielkim bólem w sercu zrezygnowała więc z pogoni.

Pod jej stopą zaszeleściły pozostawione przez Jaśka fragmenty taśmy. Pochyliła się i podniosła jej strzępki. Okręciła się dookoła, wypatrując z nadzieją ostatniego z pozostawionych na gałęziach znaczników. Nie mogła go dostrzec. Była kompletnie zdezorientowana. Nie potrafiła sobie przypomnieć, skąd przyszła. Nie wiedziała zatem, w którą ze stron powinna pójść, aby zbliżać się do celu, a nie od niego oddalać. W panice zaczęła przeliczać fragmenty taśmy. Było ich dwanaście. Bez sensu – przecież nie liczyła ich przy rozwieszaniu. Nie liczyła też kroków pomiędzy kolejnymi znacznikami: pozostawiała je „na oko". Nie zwróciła również uwagi na położenie słońca ani na mech, który zawsze porasta drzewa od północnej strony. Za bardzo zaufała taśmie.

– Karol! – przytłumiony krzyk rozpaczy opuścił jej gardło. – Karol!

Imię męża zawezwała jeszcze kilkakrotnie. Jedyne bowiem co mogła zrobić, to czekać na jego wsparcie. Zaniepokojony jej przedłużającą się nieobecnością na pewno pójdzie jej szukać. I nawet pomimo braku kompletu znaczników-drogowskazów, jakie napotka po drodze, i tak ją odnajdzie. Karol miał zmysł przestrzenny. Kierował się logiką.

Przebyta droga oraz spotkanie z Jaśkiem wysączyły z niej wszystkie siły. Ogarnęło ją przejmujące zmęczenie. Usiadła na podgnitym konarze leżącym na tyle blisko drzewa, iż plecami oparła się o pochylony jego pień. Niezwykle wygodny fotel – to czego aktualnie potrzebowała. Zamknęła oczy, wsłuchując się w szum lasu. „Karol na pewno mnie odnajdzie" – powtarzała z nadzieją.

Zasnęła.

***

„Amanddaaa, Amanddaaa!" – przytłumione słowa wdarły się do jej podświadomości, wybudzając ją ze snu.

– Amanddaaa! – dobiegło do niej wyraźne nawoływanie. Znajomy głos: Karol.

– Tutaj jestem! – wstała, nasłuchując, z której strony nadejdzie odpowiedź.

– Amanddaaa!

– Tutaj, Karol! Karoolll! – zerwała się z miejsca. Krzyk męża odbijał się od drzew, uniemożliwiając jej namierzenie kierunku, z którego przybywał jej wybawiciel. – Karol, tutaj jesteeeem!

Dopiero teraz, krążąc w miejscu zdezorientowana niczym zapędzona w ślepy zaułek łania, zauważyła jak późno się zrobiło. Las skąpał się w szarości, przygotowując swoich mieszkańców na nastanie nocy.

– Amanda, nie ruszaj się z miejsca!

– Karol, czekam!

– Krzycz przez cały czas!

– Karoolll, Karoolll, Karoolll…!

– Widzę cię! Stój, gdzie stoisz! Idę do ciebie!

Zauważyła go po chwili. Był o wiele dalej, niż sugerował to dochodzący do niej dźwięk. Ruszyła mu na spotkanie. Padli sobie w ramiona niczym kochankowie stęsknieni wielotygodniowym rozstaniem.

– Wariatko, nigdy więcej tego nie rób. – Ściskał ją mocno.

– Martwiłem się, jak cholera.

– Przepraszam, zasnęłam.

– Dlaczego szłaś dalej bez rozwieszania punktów orientacyjnych? – wskazał na leżący na ziemi kłębek taśmy. – Przecież ci tłumaczyłem.

– Rozwiesiłam. To Jasiek ją ściągnął.

– Kto? – spojrzał na nią z niedowierzaniem.

– Spotkałam tu małego chłopca, który się zgubił – próbowała wszystko wytłumaczyć. – To on ściągnął taśmę.

– Przyśniło ci się – zasugerował pierwsze lepsze, i najbardziej logiczne zarazem, wyjaśnienie, jakie wpadło mu do głowy.

– Nie, on tu był naprawdę – zapewniła. – Nie mógł dogonić rodziców...

– Chodź, wracamy – przerwał jej. – Ściemnia się.

– Ty mi nie wierzysz.

– Wezmę to – podniósł z ziemi fragmenty taśmy. – Może jeszcze się nam przyda.

18.
Cisza przed burzą

– I co teraz będzie? – zajadała się borówkami, które uzbierał dla niej Karol podczas swojej eskapady z taśmą. Nie było ich wiele i nie porażały wielkością – ostatnie niedobitki końca sezonu, ale i tak niezmiernie jej smakowały.

Siedzieli na tylnym siedzeniu samochodu w świetle ledowej lampki zainstalowanej w poszyciu dachu. Prowizoryczna sypialnia była już przygotowana na ich przyjęcie: fotele przesunięte do przodu, a z głośników ulatywała cicho muzyka.

– Poczekamy – odpowiedział spokojnie.

– Na co mamy czekać? Nie rozumiem… Nagle zrobiłeś się dziwnie wyluzowany. A jeszcze kilka godzin temu biegałeś po lesie jak szalony zwierz.

– Wiem. I może wydawać ci się to dziwne…

– Bo takie jest – weszła mu w zdanie. – Jak możesz tak spokojnie o tym mówić. Nawet nie zdajesz sobie sprawy, co ja przeżywam. Kolejna noc tutaj… Karol, na miłość boską, ja umieram z przerażenia.

– Amando, to nie tak… Nie myśl sobie, że się nie martwię. Bardzo się o ciebie martwię… Uwierz mi… Szlag mnie również trafia na myśl o tym, co mogę stracić, jeśli jutro nie pojawię się w pracy.

– Znowu ta twoja pieprzona praca – cisnęła ze złością w Karola garść borówek.

– Przemyślałem wszystko – kontynuował przemowę, zbierając rozsypane leśne jagody. – Miałem czas podczas samotnej wędrówki, aby poukładać myśli.

– I do jakiej konkluzji doszedłeś? – twarz Amandy przyjęła kolor purpury.

– Jestem pewien, że twoja matka na sto procent zgłosiła nasze zaginięcie już wczoraj.

– Myślę, że nawet na tysiąc – zrozumiała, do czego zmierzał. Nagle zeszła z niej cała negatywna energia. Uśmiechnęła się delikatnie pod nosem.

– Tak więc już jutro ruszą pełne procedury poszukiwawcze. Mama z pewnością bardzo szczegółowo przekazała policji wszystkie informacje na nasz temat, włącznie z tą, gdzie mieszkamy oraz pracujemy. Za kilka godzin pod naszym domem zjawi się policja. Później funkcjonariusze udadzą się do mojego biura. Tam spotkają się z Piotrem i będę usprawiedliwiony. Nic mi nie przepadnie. Ba… Jeszcze bardziej mnie docenią w pracy.

– Czyli ten koszmar zakończy się już niedługo – wyłowiła ostatnią jagodę z rąk męża.

– A wiesz, jaka jest największa ironia losu?

– Jaka?

– Ten glina, którego tak starałem się zgubić, był świadkiem tego, jak skręcaliśmy do lasu. Widział nas również przy chacie Pauliny. Szybko do tego dojdą i od razu skupią swoje poszukiwania na tym odcinku lasu.

Karol wciąż nie miał zamiaru wspominać Amandzie o swojej rozmowie z Mirkiem. Nie poprawiłoby to ich położenia, a z pewnością pogorszyłoby relacje. Co prawda zachowanie policjanta, jego słowa, wciąż mocno go niepokoiły. Z drugiej jednak strony żywił przekonanie, że funkcjonariusz nie zatai wspomnianych faktów przed przełożonymi. Może i był dziwakiem i kierował się jakimiś chorymi prywatnymi pobudkami, grożąc Karolowi, jednak z zawodowego punktu widzenia miał zbyt wiele do stracenia, by – jak to sam określił – mataczyć. Czekałaby go degradacja, zwolnienie z pracy a może nawet i więzienie.

– No i sama Paulina nas widziała – zauważyła.

– Tak, i sama Paulina – przytaknął bez entuzjazmu.

– Nawet nie wiesz, jak się cieszę. Już traciłam nadzieję. A ty mi ją znowu przywróciłeś. Zupełnie nie wpadłam na to, że rozwiązanie problemu może być aż tak banalne.

– Nie oznacza to oczywiście, że będziemy biernie czekać na pomoc.

– A co zrobimy?

– Jutro ci powiem. Po twojej dzisiejszej przygodzie muszę to jeszcze dobrze przemyśleć. A teraz pokaż zęby.

Wyszczerzyła do niego niebiesko-fioletowy wachlarz.

– Ale cię urządziłem – roześmiał się.

– Co? – wychyliła się przez przednie fotele i przejrzała we wstecznym lusterku przymocowanym do przedniej szyby.

– Jak ja się teraz pokażę ludziom. Nie mamy wody ani pasty do zębów. – Usiadła z powrotem, po czym ucałowała go znienacka w policzek. – A masz za to.

Na jego skórze pozostał fioletowy ślad. Przetarł zabrudzenie dłonią.

– Nie jesteś głodna ani spragniona? Mam jeszcze trochę cukierków.

– Nie. Już i tak jest mi wyjątkowo słodko. Chociaż woda by się przydała. – Czyściła zęby językiem, sowicie zwilżając je śliną.

– Ja również nie odczuwam głodu. To zapewne przez te emocje... – zamyślił się na moment. – A z Adasiem wszystko w porządku?

– Jak najbardziej.

– To dobrze.

Zgasił lampkę i przykrył ich oboje kocem.

– Karol, ty mi nie wierzysz, że spotkałam w lesie tego chłopca? – ułożyła się wygodnie na jego nogach. – Przez ciebie sama powoli zaczynam traktować to jak sen.

– Śpij już – głaskał ją po brzuchu, wpatrując się z obawą w ciemność na zewnątrz.

Tej nocy księżyc był niewidoczny. Całkowicie schował się za parawanem chmur. Karol jednak nie ubolewał z tego powodu. Nawet jeśli seksowana nocna mara wyruszy ponownie na obchód, to całkiem prawdopodobne, że w tych ciemnościach w ogóle ich nie zauważy.

***

Tym razem to Karol obudził Amandę. Czuwał niemal przez całą noc, obawiając się wizyty Pauliny. Nie miał najmniejszego zamiaru dać jej się zaskoczyć. Możliwe, że nie byłaby już tak tajemnicza, jak za pierwszym razem, i nachalnie zapukałaby w szybę samochodu, budząc nie tylko jego, ale i Amandę, bez skrupułów wyjawiając przy tym ich tajemnicę. Kilkakrotnie przysnął na krótką chwilę, jednak każdy ruch żony czy mocniejszy podmuch wiatru na zewnątrz, od razu stawiał go na posterunku – a zarówno Amanda, jak i wiatr nie byli tej nocy spokojni.

– Dzień dobry, motylku – ucałował żonę na przywitanie.

– Karol, Boże, ale miałam straszny sen.

– O Adasiu?

– Nie. Nie tym razem. Opowiedzieć ci?

– Komuś w końcu musisz.

– Oj, nie przesadzaj. I tak tylko ty możesz go zrozumieć.

– Zatem zamieniam się w słuch.

– Szłam samotnie przez las. Podświadomie wiedziałam, że to jest ten sam, w którym teraz jesteśmy. Wiesz, w snach pewne fakty są oczywiste – poczekała aż przytaknie jej na potwierdzenie tego fenomenu, po czym kontynuowała: – Zapadał z wolna zmrok, praktycznie to już było ciemno, ale bardzo dobrze wszystko widziałam. W oddali zauważyłam ruiny domu. Nie takiego, jaki bez przerwy mijamy, tylko małego i kamiennego.

– Pewnie miejsce, gdzie myśliwi oprawiali swoje ofiary – zasugerował.

125

– Tak. Raczej tak. W każdym razie dom był pozbawiony dachu i okien. Już z oddali zauważyłam, że w środki pali się światło. Delikatne światło świec. Podeszłam zaintrygowana do dziury po oknie i konspiracyjnie zaglądnęłam do środka. Były tam trzy osoby. Na stole leżała stara kobieta, na taborecie siedziała młodsza. Obok tej młodszej stała mała dziewczynka. Od razu wszystkich rozpoznałam. To były Teresa, Krystyna i mała Paulina. Zorientowałam się, że to czuwanie nad ciałem zmarłej. Teresa była blada, niemalże biała, a splecione dłonie spoczywały jej na piersiach. Nie trzymała krzyża ani świętego wisiorka czy nawet kwiatów, lecz świeżo zerwane zioła. Wokół stołu płonęło kilka świec. Krystyna wpatrywała się w ciało matki, a dziewczynka, z nosem spuszczonym na kwintę, w ziemię. Nagle Teresa otworzyła oczy. Ale się wtedy przeraziłam. Oblał mnie naprawdę zimny dreszcz. Jednak to nie koniec koszmaru. Najgorsze było to, że nie zrobiło to na pozostałych najmniejszego wrażenia. Mało tego, w przypływie bojaźni nie zachowałam należytej ostrożności i narobiłam hałasu. Zostałam zauważona. Krystyna wpatrywała się we mnie z szyderczym uśmiechem. Paulinka, płacząc, wyciągnęła w moją stronę jakąś złożoną kartkę. Zrobiła to bojaźliwie. Obróciła się bokiem do matki, tak jakby nie chciała, aby ta zauważyła, co robi.

Zakończyła opowieść głębokim wydechem. Patrzyła na Karola szeroko otwartymi oczyma, ponaglając go skinieniem głowy, aby skomentował jej opowieść.

– Koniec? – zapytał wreszcie.

– A co, mało jak na jeden koszmar? – oburzyła się. – To było okropne. Do tej pory mam ciarki na całym ciele, jak tylko o tym pomyślę.

– Wybacz, faktycznie sen do przyjemnych nie należał – przyznał, nie chcąc jej urazić.

– Jak myślisz, co to wszystko może oznaczać?

– Wiesz, że nie jestem dobry w te klocki. Nie wiem. Może nic.

– Sny zawsze coś oznaczają, panie pragmatyk. – Wyszła z samochodu i rozpoczęła skromną gimnastykę. – Będzie chyba lało.

– Tak, w nocy mocno wiało. – Karol poszedł za przykładem Amandy: opuścił duszne wnętrze pojazdu i stanął w rozkroku, wymachując rękoma. – Wiatr zawsze zapowiada zmiany – wysapał.

– Oby nas znaleźli, zanim pogoda się popsuje. Nie mam zamiaru biernie czekać zamknięta w aucie.

– À propos biernego czekania – powrócił do niewypowiedzianej w wieczornej rozmowie sugestii – myślałem, że moglibyśmy ponownie ruszyć na zwiad. Tym razem drogą. Ty w prawo, a ja w lewo.

– A jak pomoc przyjedzie z innej strony?

– To znajdą nasz samochód. Tym sposobem znacznie zwiększymy szanse na szybsze odnalezienie pomocy, aniżeli czekając w jednym miejscu.

– Świetny pomysł.

– Tylko boję się puścić cię znowu samą.

– Nie rób ze mnie dziecka. Idę siku.

Zakończyła ćwiczenia i weszła do lasu.

Karol rozłożył na drodze kawałki taśmy. Przeliczył je i podzielił na dwie równe części. Następnie z teczki, którą zawsze woził ze sobą w bagażniku, wyciągnął arkusz papieru. Tym razem nie wykorzystał go jednak do szkicu ciekawej budowli, lecz grubym czarnym markerem napisał:

POMOCY! ZABŁĄDZILIŚMY! JEST NAS DWOJE –
KOBIETA W CIĄŻY I MĘŻCZYZNA. PROSZĘ, ZACZEKAJ
PRZY SAMOCHODZIE LUB WEZWIJ POMOC!

Gdy skończył, przetarł okna z wilgoci i umieścił kartkę za przednią szybą.

– Nie za histerycznie? – wskazał Amandzie napis, kiedy ta pojawiła się u jego boku.

– Jestem z ciebie dumna. Przeszedłeś niesamowitą metamorfozę. Od upartego despoty do zespołowego gracza i...

– Ciągle jednak nie wiem, czy to dobry pomysł – przerwał chwalące go peany. – A co, jeśli znowu się zgubisz? Nie wolisz zaczekać w samochodzie?

– Nawet gdybyś mnie do tego zmusił, to i tak poszłabym, zaraz po tym, jak tylko zniknąłbyś mi z oczu.

– Wiem. I nie mam wyjścia. To na wszelki wypadek – wręczył jej przeznaczone dla niej fragmenty taśmy. – Jakbyś weszła do lasu lub napotkała jakieś rozgałęzienie.

– Bez obaw. Wczorajszy incydent już się nie powtórzy – zapewniła.

– Jak tylko zacznie padać, masz wrócić. Nie możesz się zaziębić. W twoim stanie byłoby to niebezpieczne. Zrozumiano?!

– Yes, sir – stanęła na baczność i zasalutowała żartobliwie.

– Chcesz iść w prawo? Możemy się zamienić – Karolowi w najmniejszym stopniu nie udzielił się irracjonalnie wesołkowaty nastrój Amandy.

– Tak, chcę. Lewa odnoga była przecież twoim pewniakiem.

– Gdy kogoś spotkasz, to daj mi jakoś znać, abym już wracał. Najlepiej zatrąb klaksonem samochodu. Kilkakrotnie. Do skutku. Ja zrobię tak samo.

– Dobrze.

Stali naprzeciwko siebie. Nikt nie chciał zrobić tego pierwszego kroku ku rozstaniu. W każdym z nich pobrzmiewała trauma dnia wczorajszego: możliwość utraty najbliższej osoby. W przypadku Karola – osób.

– Jak się czujesz? – chwycił ją za dłoń.

– Świetnie.

– Nie jesteś głodna? Mam cukierki – zaproponował.

– Może wezmę kilka.

Wolną ręką sięgnął do kieszeni. Wymacał słodkie sześcioboki i wręczył je żonie.

– Powodzenia – powiedział, po czym poluzował uścisk, uwalniając Amandę.

Ruszyli. Każde w swoją stronę.

19.
Burza

Karol gnał przed siebie, chcąc w jak najkrótszym czasie przebyć jak największy odcinek drogi. Pragnął jako pierwszy napotkać pomoc – uratować Amandę przynajmniej symbolicznie. Był jej to winien. W jego mniemaniu tylko tak mógł, choć w minimalnej części, zmyć z siebie winę za sytuację, w jakiej się znaleźli. Opcja odwrotna, w której to ona poprowadziłaby karawanę wybawienia, byłaby już jego kompletną porażką i nie mieściła mu się nawet w głowie.

Kilkakrotnie zamieniał nieświadomie chód w trucht. Szybko jednak przytomniał i zwalniał. Biegnąc w zapomnieniu, widząc tylko to co przed nim – zamazywał bowiem szczegóły tego co obok niego i tego co za nim – zbyt łatwo mógł przegapić istotne, dla jego misji, szczegóły.

Po chwilowym zastoju wiatr ponownie wezbrał na sile, przywiewając coraz ciemniejsze chmury. Ptaki ucichły pochowane w bezpiecznych schronieniach. Drzewa składały ukłony przed siłą dmuchającego oprawcy, a z każdym mocniejszym jego podmuchem liście wzbijały się posłusznie do tańca.

W kieszeni spodni rozdzwonił się telefon. W pierwszej chwili zlekceważył wezwanie, jakby go nie dotyczyło. Ot, niczym sygnał obcego telefonu zasłyszany gdzieś w zatłoczonym autobusie. Coraz głośniejsze „We will rock you", Queenu, w końcu go oprzytomniło. Totalnie zaskoczony sięgnął po aparat. Nie spojrzał na ekran, jak to zawsze miał w zwyczaju, tylko niezwłocznie odebrał:

– Halo.

– Gdzie ty, do cholery, jesteś?! – zaatakował go wzburzony Piotr. Jego słowa były ledwo słyszalne.

– Piotr, to ty? Na litość boską. Ta droga, którą mi poleciłeś – Karol wystrzeliwał słowa z szybkością i rozrzutem karabinu maszynowego: na oślep, byle więcej. Bał się, że za chwilę utraci połączenie. – Zgubiłem się. Halo, słyszysz mnie?

– Co? Nie słyszę… – chwila szumu, a za moment: – …ty, kurwa, się ukrywasz?

– Nie! To nie tak! Zgubiłem się. Rozumiesz?

– Tak mi się odwdzięczasz za szansę. Ni chuja… – Ponownie szum i: – …dodzwonić do ciebie cały dzień. Prezesi…

– Halo. Powtórz. Nie mam zasięgu. Tkwię w tym jebanym lesie już trzeci dzień.

– Żadne trzy dni. Nie dam ci dodatkowego urlopu! Nie tak się uma…

– Halo, Piotr. Halo. Nie chcę teraz żadnego urlopu. Zgubiłem się, do kurwy nędzy! Rozumiesz?!

– A tak się zarzekałeś o dyspo… zapomnij… do końca życia będziesz projektował domki. A jak tak dalej pójdzie, to będziesz mógł być... losowi, jeśli ktoś ci powierzy zaprojektowanie altanki. Jesteś sko...

– Piotr, gdybym tylko mógł, przyjechałbym. Nigdy nie opuściłem bez zapowiedzi ani jednego dnia. Dobrze o tym wiesz. Nie przepuściłbym takiej szansy. Halo, słyszysz mnie? Piotr.

– To jest początek twojego końca... mój syn skorzysta.

Połączenie zostało zerwane. W słuchawce znów słychać było tylko ten sam złowieszczy sygnał co przez ostatnie trzy dni. Karol spojrzał na ekran. Ikona dostępności sieci była na poziomie zerowym. Wyciągnął rękę w górę, szukając lepszego zasięgu: bez rezultatu. W przypływie desperacji przeprowadził atak na jedno z drzew. Rozpoczął wspinaczkę. Musiał zabrnąć jak najwyżej. W koronie, ponad kopułą lasu, zasięg będzie o wiele mocniejszy. Po pokonaniu zaledwie dwóch metrów jedna z jego stóp ześlizgnęła się z kory i runął w dół. Upadł na nogi, po czym, straciwszy równowagę na nierównym gruncie, wyłożył się jak długi na plecach.

– O kurwa... o kurwa... kurwa... – syczał zrozpaczony. – Tylko nie to. Nie teraz, do chuja. Nie po tylu jebanych wyrzeczeniach. Nie mogę stracić tej szansy. To mój czas!

Zerwał się z miejsca. Odszukał, upuszczony podczas upadku, telefon i pognał, ile sił w nogach, przed siebie.

***

Amanda zatrzymała się przy skręcie do zdezelowanej chaty. Próbowała odszukać w zakamarkach świeżych jeszcze wspomnień dokładną lokalizację domu. Wydawało jej się, że znajdował się po lewej stronie lewej odnogi rozgałęzienia, a nie po prawej, jak to miało miejsce w tej chwili. Ale biorąc pod uwagę nieokiełznaną gmatwaninę leśnych traktów, więźniami których zostali, niczego już nie mogła być pewna – to meandry wyrywające się zdrowemu rozsądkowi. Przegrywał z nimi nawet analityczny umysł Karola.

Było dla Amandy coś pociągającego w roztaczającym się przed nią widokiem domu. Tajemnica miejsca, do którego nie odważyłaby się podejść w nocy. Była to taka sama eksycytacja, jak ta w dzieciństwie nakazująca jej wracać o świcie w rejony, które poprzedniego dnia zbyt szybko ukryły się za woalem zapadającej nocy.

Połknęła ostatnią porcję słodkiej brei. Szeleszczący papierek wsunęła do ciasnej kieszeni spodni. Spojrzała na złowieszcze chmury zawieszone nisko nad drzewami. Ta cisza lasu. Dobrze ją pamiętała – zwiastun burzy. Przeszedł ją zimny dreszcz.

Uległa chwili. Podeszła do domu.

Dowód pragmatyzmu budowniczych lub braku finezji. Chata była niemal kopią domostwa Pauliny... A może jej oryginałem? Magnetyzm cudzego życia zaklęty w drewnianych ścianach przyciągał Amandę coraz mocniej. Już widziała oczami wyobraźni stare, poniszczone meble. Potłuczone naczynia i butelki. Wyczuwała wzniecone ruchem cząsteczki unoszącego się po całej izbie kurzu, który bezczelnie osiadał na całym jej ciele, następnie wdzierał się do nozdrzy, zmuszając ciało do reakcji obronnej: kichania. Czuła na dłoniach, twarzy i we włosach lepką konsystencję pajęczyn. Smugi światła przebijające się przez resztki brudnych potłuczonych szyb oraz rozgruchotanych okiennic.

Pierwszy krok Amandy w kierunku ganku pozostał jednak w sferze myśli i zamiaru. Do jej uszu dotarł narastający zgiełk głośnej muzyki niosący się echem po lesie. Odwróciła się twarzą do drogi.

Wybawienie!

Była niemal pewna, że Karol daje jej w ten sposób znak. Napotkał pomoc – to miał być jego zastępczy sygnał klaksonu. Wszystko co powinna zatem zrobić, to udać się jak najszybciej w kierunku, z którego dochodziła muzyka.

Hałas przybierał na sile z każdą sekundą, z każdym jej krokiem. Dochodziła już prawie do drogi, kiedy biały kabriolet przemknął tuż obok niej, rozwiewając liście. Zdołała tylko zobaczyć pasażerów białego pocisku. Dwie kobiety: blondynka i brunetka. Te same co na stacji benzynowej przed kilkoma dniami.

Wybiegła na drogę za oddalającym się pojazdem. Krzyczała w niebogłosy: „Stójcie, stójcie!". Podbiegła kilka metrów, machając rękoma. Wszystko daremnie. Kabriolet zniknął za najbliższym zakrętem. Po chwili ucichła również muzyka.

Nie zauważyły jej. Ratunek przepadł.

Nie ulegało wątpliwości: zeszła z trasy w złym momencie. Cóż za ironia losu. Gdyby szła wolniej i znalazła się w tym miejscu o minutę później lub stałaby na drodze i obserwowała chatę o minutę dłużej, wtedy na sto procent doszłoby do spotkania. Nieznajome nie mogłyby przecież zlekceważyć samotnej kobiety w lesie – w dodatku tuż przed burzą i w błogosławionym stanie. Już z daleka zauważyłyby rozpaczliwe gesty Amandy, a zwłaszcza jej ciężarny brzuch. I nawet jeśli gdzieś by się spieszyły lub cechowałyby je niesamowity egoizm oraz brak empatii, to i tak kierująca wcisnęłaby hamulec – kobieca solidarność. Zresztą, ciężarnej na pewno by nie rozjechały. Chociażby z troski o stan przedniej maski.

Stała zrozpaczona, nie mogąc powstrzymać napływających do oczu łez. Co też ona najlepszego narobiła? Przegapiła pomoc. Jedyną prawdziwą (zagubionego malca nie brała pod uwagę), jaka do tej pory się nadarzyła. A kto wie, może i jedyną, która w ogóle tego dnia miała nadejść.

Przez pochmurną kopułę myśli Amandy przedarł się nagle promyk nadziei. Kobiety pojechały przecież w kierunku, z którego przybyła. W miejsce gdzie aktualnie znajdował się ich samochód. Na pewno się przy nim zatrzymają (lafiryndy lecą przecież na błyskotki) i przeczytają pozostawioną za szybą kartkę (jeśli w ogóle potrafią czytać). Możliwe nawet, że już spotkały Karola i właśnie przekazują mu informacje, jak wydostać się z lasu.

Otarła łzy na policzkach i ruszyła w drogę powrotną.

***

Przez całą drogę Amanda nasłuchiwała klaksonu samochodu znamionującego koniec koszmaru – docierały do niej jedynie przytłumione grzmoty zbliżającej się burzy. Nie forsowała zbytnio tempa marszu. Starała się iść po prostu w miarę szybko, co jakiś czas tylko podbiegając kawałek dla choć minimalnego nadrobienia opóźnienia – dziewięć miesięcy temu byłaby już dawno na miejscu. Jednak teraz i to narzucone tempo było ponad jej siły. Kilkakrotnie zwalniała zatem, aby uspokoić oddech.

Nawet nie wiedziała, w którym momencie zgubiła strzępki taśmy.

Dotarła do samochodu przed Karolem. Po kobietach nie było śladu. Chwyciła za klamkę drzwi od strony kierowcy. Zamknięte. Obeszła samochód dookoła, sprawdzając po kolei wszystkie drzwi z tylną klapą bagażnika włącznie. Centralny zamek – tego Karol nie przewidział. Gdyby to ona odszukała pomoc, bez wahania rozbiłaby szybę, aby dostać się do klaksonu. W obecnej sytuacji postanowiła jednak nie podnosić niepotrzebnego alarmu.

Karol nadszedł po kilkudziesięciu minutach główną drogą. Powrócił zatem do punktu wyjścia, zataczając koło. Już z oddali widziała, iż jemu było równie spieszno jak jej. To oznaczać mogło tylko jedno: napotkał biały kabriolet.

— I co?! — zakrzyknęła z uśmiechem. — Wiesz już wszystko?!

— Zatoczyłem koło — zatrzymał się przy samochodzie. — Ty też?

— Nie. Zawróciłam.

Ucałowała go w usta na przywitanie. Zrobiła to szybko i niecierpliwie. Nie chciała ich zajmować, kiedy być może miały do przekazania ważną informację. Oznajmiła jedynie, iż zamknął samochód.

Otwartą dłonią klepnął się w czoło na swoje gapiostwo.

— Czekam już na ciebie od dobrych trzydziestu minut — poinformowała.

— Dlaczego? Znalazłaś coś?

— Nie widziałeś ich? — zapytała zbita z pantałyku zachowaniem męża. Nie tego się w końcu spodziewała.

— Kogo miałem zobaczyć?

— Te dwie laski ze stacji benzynowej.

— Nie… A ty je widziałaś? — rozgorzała w nim nadzieja, że przynajmniej ona ma dobre wieści. Pal licho palmę pierwszeństwa i sam tytuł „wybawcy roku". — Rozmawiałaś z nimi? I co…?

— Chcesz powiedzieć… — język ugrzązł jej w gardle.

— Opowiadaj, czego się dowiedziałaś.

— Byłam w lesie… One tak szybko gnały… Nie zdążyłam — nogi aż ugięły się jej pod ciężarem winy.

— W którą stronę pojechały?

— W tę — wybełkotała zmieszana, wskazując miejsce, w którym stali.

Otworzył samochód. Nie widział najmniejszego sensu drążyć dalej tematu. Postanowił działać.

– Co chcesz zrobić? – zapytała.

– A jak myślisz?… Jechać za nimi. Może jeszcze je dogonimy.

– Nie chce mi się wierzyć, że ich nawet nie słyszałeś. Urządziły sobie niezłą dyskotekę. Ukrywasz coś przede mną… – Amanda z całych sił odrzucała od siebie ewentualność, iż to ona zaprzepaściła jedyną szansę na szybki ratunek. To niemożliwe, że Karol nie miał kontaktu z kobietami. Przyjechały z jego strony, a on szedł w ich – a może na odwrót? (Boże, jakie to wszystko było dla niej zagmatwane). Chcąc nie chcąc, musiało zatem dojść do ich spotkania.

– Co za brednie wygadujesz. Zastanów się lepiej, zanim palniesz kolejne takie głupstwo.

– Głupstwo?… Nie kłam. – Rozpłakała się.

– Naprawdę niczego nie ukrywam – spokorniał, widząc, że jego partnerka jest w nie najlepszym stanie emocjonalnym. – Nie słyszałem ich. Musiały jechać prawym odgałęzieniem. Wszystko pewnie przez ten telefon od Piotra.

– Jaki telefon? – odskoczyła od Karola.

– Piotr zadzwonił. Wszystko się zagmatwało. On myśli, że specjalnie nie przyszedłem do pracy. Muszę to jak najszybciej odkręcić.

– Wezwałeś pomoc?

– Co…? Nie. Nie było jak. Ciągle przerywało.

– Ale o jebanej pracy to byłeś w stanie rozmawiać! – rzuciła się na niego z pięściami. – Ty pieprzony egoisto, myślisz tylko o sobie i pracy! A ja z Adasiem w ogóle się dla ciebie nie liczymy! W dupie masz, że mogę urodzić w tym pieprzonym lesie! Że… że może nam się coś stać.

– Proszę, przestań wygadywać bzdury.

– Bzdury?!... Jak ci mogę wierzyć, zaufać. Kto wie, może nawet się z nimi przed chwilą pieprzyłeś, a teraz ściemniasz... Marzysz o tym, co?... Dwie na jednego. Blondynka i brunetka. Żonka dupy nie daje, a ruchać się chce.

– Uspokój się! – złapał ją za ramiona i mocno nią potrząsnął. Ostatnie jej słowa trafiły dokładnie w jego czuły punkt: ukryte pragnienia i skrywaną tajemnicę. – Proszę, uspokój się, zanim powiesz o jedno słowo za dużo.

– Puszczaj mnie – wyrwała się z żelaznego uścisku. – Co w ciebie wstąpiło? Może jeszcze mnie uderzysz, co?!

– Przestań!... Przestań, do cholery, tak mówić!

– Sama znajdę pomoc i trafię do matki. A ty jedź, wracaj jak najszybciej do tego, co tak naprawdę kochasz: do pracy.

Amanda odwróciła się i ruszyła przed siebie.

– Amanda, stój! Zaraz będzie burza! – krzyczał za oddalającą, się w coraz szybszym tempie kobietą. – Stój, do cholery!

Nie odpowiedziała. Szła, wymachując ostentacyjnie rękoma. Po krótkiej chwili zniknęła mu z oczu. Wybrała drogę, którą przed momentem przybył.

– Tak, idź! Może zmądrzejesz! Zrób sobie wycieczkę! Dobrze ci zrobi! Zawsze o tym marzyłaś! Wyprawa życia! Powinnaś mi być wdzięczna za tę przygodę!

Miał nadzieję, że go usłyszała.

***

Amanda podniosła kołnierz kurtki, osłaniając szyję przed wiatrem. Co jakiś czas uderzał w nią z przodu na tyle mocny podmuch, iż niemal zatrzymywała się w miejscu. Przygarbiła sylwetkę, ukryła ręce w kieszeniach. Nie było sensu walczyć z dmuchającym oprawcą, to kosztowało zbyt wiele sił. To on był rzeźbiarzem, a ona tylko materiałem.

Częstotliwość wyładowań atmosferycznych i ich siła przybrały na intensywności. Wędrówka przez las przy takiej pogodzie nie była zbyt dobrym pomysłem. Każde inteligentne zwierzę w podobnych warunkach stara się znaleźć jak najbezpieczniejszą kryjówkę, a nie pcha się na siłę wprost w ramiona śmierci. Spadające konary roztrzaskujące głowę lub łamiące kręgosłup, śmiertelnie rażące piorany spopielające ciało – wachlarz możliwości, jakim dysponowała kostucha, aby przyciągnąć na drugą stronę życia śmiałków rzucających jej wyzwanie, był naprawdę bogaty. Amanda nie musiała daleko szukać przykładów. Kiedy miała dziewięć lat jej wujek został w lesie śmiertelnie rażony piorunem.

Starała się zatem trzymać środka drogi. Mimo tego, że było to centrum korytarza powietrznego, istny tunel aerodynamiczny, to równa odległość od rzędów drzew po lewej i prawej stronie dawała jej choć namiastkę bezpieczeństwa.

Bez dwóch zdań powinna siedzieć teraz w samochodzie: mocna karoseria chroniąca przed spadającymi gałęziami, metalowa klatka Faradaya chroniąca przed burzą. Odwróciła się za siebie. Ona na pewno nie wróci. To Karol był winien kłótni, i to on powinien przeprosić jako pierwszy. Nie może być aż takim egoistą, aby siedzieć w samochodzie, kiedy ona naraża siebie i dziecko na wielkie niebezpieczeństwo. Nawet gdyby był wielce obrażony, powinien odpuścić, a nie unosić się dumą.

Pierwsze krople deszczu przeprowadziły desant na jej ciało. Poczuła wilgoć we włosach. Chłód kropel przebijał się od nasady głowy, poprzez mózg i dalej wzdłuż kręgosłupa niczym elektryczne wyładowanie. Wilgoć przemierzająca jej ciało stopniowo nabierała temperatury, aby zakończyć wędrówkę w kroczu rozlewającym się ciepłem. Początkowe przyjemne uczycie dość szybko zamieniło się w dyskomfort. Udami popłynął gorący strumień. Zaniepokojona dotknęła krocza. Uniosła dłoń. Odeszły jej wody płodowe, a palce naznaczone były krwią.

Krew to zły znak. Cholernie zły znak.

– Karol! – rozpaczliwy krzyk Amandy został zagłuszony przez grzmot błyskawicy.

Mocny skurcz, który po chwili spiął jej ciało, uniemożliwił jej zawezwać męża jeszcze raz. Zdołała wydobyć z siebie jedynie bolesny jęk. Przykucnęła, trzymając się za brzuch. Wiedziała: to był ten skurcz i ten ból – zaczął się poród.

Nie mogła rodzić na środku drogi, w lesie, podczas burzy. Nie miała najmniejszych szans dojść do samochodu, a i Karol nie kwapił się, aby ruszyć za nią. Rozejrzała się dookoła. W oddali zobaczyła zrujnowaną chatę. Nie było czasu do stracenia. Wstała i podreptała w jej kierunku.

To niesamowite, jak w takich chwilach funkcjonuje ludzki organizm. Zwłaszcza organizm matki chcącej ratować swoje dziecko. Chęć życia była silniejsza niż wszystkie przeciwności losu: niesprzyjająca aura, ból i perspektywa tego, co ją za moment czekało. Szła, trzymając się za brzuch. Mocniejsze skurcze zmuszały ją do chwilowych postojów. Brała wtedy kilka głębokich wdechów, zaciskała zęby i szła dalej. Brnęła konsekwentnie do schronienia.

Krew to zdecydowanie zły omen.

Błyskawice uderzały coraz bliżej niej. Deszcz padał coraz mocniej. Kiedy dotarła w końcu do ganku domu, była przemoczona do suchej nitki. Darowała sobie kurtuazję i kopnięciem wywarzyła drzwi – nadwątlone czasem, ustąpiły nad wyraz łatwo. Zaraz po przekroczeniu progu, padła na brudne deski podłogi.

Skurczy stawały się coraz częstsze. Ból narastał. Wiedziała, jak ma się zachować. Czytała o tym w najlepszych poradnikach. Uczył ją tego lekarz oraz instruktor w szkole rodzenia. Dobrych rad udzielała jej matka i koleżanki, które miały to już za sobą. Da sobie radę. Najważniejsze to urodzić. Usłyszeć płacz dziecka. Resztą będzie się martwic później.

Ściągnęła kurtkę i podłożyła ją pod pośladki. Zsunęła spodnie i bieliznę. Ucałowała medalik – prezent od ukochanej matki.

Wdech i wydech. Ciągłe parcie. Zamknęła oczy. Krzyczała. To pomagało.

Już?... Już po wszystkim?... Skurcze i ból minęły. Nastała cisza...

Cisza to zły znak.

Otworzyła oczy. Podparła się na łokciach.

– O Boże, nie!

Na kurtce, pomiędzy nogami Amandy, leżało dziecko złączone z nią pępowiną. Chwyciła je szybko w ręce. Nie dawało żadnych oznak życia.

– O Boże, nie! Tylko nie to! Karol! Karol, gdzie jesteś! – krzyczała, ściskając z całych sił do piersi martwego Adasia.

Ogromny, niewyobrażalny wewnętrzny ból rozerwał jej ciało. Z oczu pociekły kaskady łez. Z nosa puściła się rzeka śluzu. Trzęsła się cała w drgawkach i spazmach. Tuliła martwą cząstkę siebie, kołysząc się w przód i w tył.

Otworzyła oczy, aby jeszcze raz spojrzeć na synka. W rękach trzymała kurtkę. Rzuciła ją zdezorientowana przed siebie. Gdzie jej dziecko? Gdzie się podział Adaś? Omiotła wzrokiem podłogę. Spodnie i bieliznę miała opuszczone. Żadnej krwi ani łożyska. Dopiero po chwili zerknęła na swój brzuch – wciąż była w ciąży. Nie było żadnego porodu.

Zerwała się przerażona na równe nogi. Podciągnęła ubrania i wybiegła z domu. Oparła się o filar ganku, wciągając łapczywie powietrze w płuca.

Co to było, do cholery? Co to wszystko oznaczało? Czy śniła na jawie? Co to za koszmar? Była kompletnie zdezorientowana i rozbita. Nie wiedziała, czy ma płakać, czy się śmiać. W końcu przed momentem przeżyła największą traumę w życiu. Jednak wszystko wróciło do normy. Żadnych bólów ani skurczy. Wciąż nosiła w sobie życie – czuła je.

Spojrzała w górę szukając pomocy w rękach opatrzności.

– O Boże, nie! Boże, co się dzieje?! – wykrzyczała w momencie, w którym zobaczyła niewyraźny napis wyskrobany na belce tuż ponad głową:

Dobro umiera w ciszy.

Część III

20.
Rok 2026 – seans, ciąg dalszy

Przerwałam seans. Musiałam odpocząć. Z trudem powstrzymywałam się przed upadkiem. Miałam mroczki przed oczami i nogi z waty. W końcu przykucnęłam – bliżej ziemi czułam się o wiele bezpieczniej.

Dziewczyna poprosiła, abym mówiła dalej, bym nie przerywała, byliśmy już bowiem tak blisko prawdy. Stała nade mną z błagalnym wyrazem twarzy. O, jak ja dobrze znałam tę minę, w końcu wychowałam dwie córki. „Mamo, kup mi tę sukienkę, te buty". Nie przestawały hipnotyzować dopóty, dopóki nie dostały tego, czego chciały. Wytrwałość i upór godny lepszej sprawy.

Spojrzałam na nią i odpowiedziałam, że nie dam już rady, i powinniśmy wrócić do tego jutro – tak będzie najlepiej. Przekaz, który odbierałam, był niezwykle czysty. Pierwszy raz miałam do czynienia z czymś podobnym. Jednak sygnał, aby do nich dotrzeć, potrzebował pośrednika, i to ja go wzmacniałam. Czułam się pozbawiona życiodajnej energii. Powinni to uszanować i zrozumieć. Samochód państwa Matlak oraz wszystkie pomieszczenia, które do tej pory odwiedziłam podczas swojego seansu, przechowywały w sobie jedynie szept wspomnień. Była to bowiem tylko martwa materia. A las był żywy.

Mężczyzna przykucnął przy mnie, spojrzał mi wymownie w oczy, po czym oznajmił, że nie możemy przerwać w takim momencie, i powinniśmy iść za ciosem. Tylko że te ciosy trafiały wyłącznie we mnie. Byłam bliska przegrania przez nokaut. Opuściłam głowę w dół i przymknęłam oczy.

Dziewczyna pozwoliła sobie na o wiele większą poufałość: położyła dłoń na moim ramieniu. Następnie stwierdziła, że jestem wyjątkowa, posiadam niezwykły dar, i tylko dzięki mnie mogą dowiedzieć się prawdy. Pokiwałam przecząco głową. Mężczyzna, widząc moją zatwardziałą postawę, ponownie poszedł dziewczynie w sukurs i zapytał mnie, czy nie chcę dowiedzieć się, jak to wszystko się zakończyło. To oczywiste, że wiedzieli o wiele więcej, niż chcieli mi powiedzieć. Dałam im to do zrozumienia i dopowiedziałam, że byłoby miło z ich strony, gdyby nie byli aż tak tajemniczy. Wtedy moja zleceniodawczyni oznajmiła, że powiedzą mi o wiele więcej, kiedy ułożą wszystko w logiczną całość. W tej chwili – wedle ich słów – sami byli mocno zagubieni. Na koniec dodała, iż dorzuci mi jeszcze tysiąc euro.

Nie musiała mówić nic więcej. Trzy tysiące za jeden dzień pracy skutecznie postawiły mnie na nogi.

21.
Grom za gromem

Kiedy natknę się na zło, za plecami, w noc mojej próby,
Podążając poprzez ciemne zaułki niebezpiecznej drogi,
Nie obejrzę się za siebie na widma mej zguby,
A tylko przyjmę bez emocji te piekielne trwogi.

Ponieważ cel, ku któremu zmierzam bez
względu na wszelkie przeszkody,

W każdej tak potrzebnej chwili wszelkie lęki me umorzy.
I nie będą mi straszne rzucane przez
złe mary pod me nogi kłody,
Albowiem mój Pan bezpieczne bramy
schronienia przede mną otworzy.

***

Amanda klęczała przed chatą, powtarzając w kółko, niczym mantrę, słowa modlitwy. Intensywnie padający deszcz, nie napotykając na choćby skrawek suchej powierzchni, gdzie mógłby wsiąknąć, spływał po niej obfitymi strumieniami. Twarz miała skierowaną w niebo. Jej łzy i krople deszczu zlewały się w jedność. Jedna z błyskawic uderzyła kilkadziesiąt metrów od niej, rozrywając drzewo na pół. Deszcz szybko ugasił zalążki ognia.

W takiej pozycji zastał ją Karol.

Wsiadł do samochodu i wyruszył jej śladem w chwilę po tym, jak rozpętało się to istne piekło na ziemi. Wycieraczki pracowały na najwyższych obrotach, mimo to nie nadążały z oczyszczaniem przedniej tafli szyby. Jechał zatem z opuszczonymi bocznymi oknami, nie przejmując się zupełnie faktem, iż wpadający do środka deszcz zalewał wnętrze – najważniejsza była dobra widoczność. Nie szczędził razów wymierzonych ze złością w koło kierownicy, prosto w klakson. Sygnał dźwiękowy – niech go usłyszy, jeśli on jej nie zauważy. Niech wie, że wyruszył jej na ratunek. Grzmoty burzy były jednak tak częste i tak ogłuszające, iż jego syrena alarmowa w tej nawałnicy zdawała się być niczym szczebiot pisklaka w stadzie rozwrzeszczanych srok.

Jedna z błyskawic znalazła cel tuż przed jego oczami. Wtedy właśnie ją zobaczył. Klęczała na ziemi przed zdezelowaną chatą, którą mijali już kilkakrotnie. Zatrzymał samochód. Silnik zostawił na chodzie. Biegnąc, poślizgnął się na kępce trawy. Upadł na wyprostowane ręce. Kolanami zarył w ziemię. Szybko jednak się pozbierał. Wystartował z klęczek do dalszego biegu zupełnie jak sprinter na stumetrowym dystansie.

Dopadł do Amandy. Ukląkł przy niej i objął ją. Nie zwróciła na niego uwagi. Mamrotała słowa modlitwy wpatrzona błędnym wzrokiem w niebo. Chciał ją podnieś, ale była całkowicie bezwładna.

– Amanda, co jest z tobą? Co się stało? – potrząsnął jej ciałem, próbując przywrócić ją do rzeczywistości. – Kochanie, co ci jest? – pytał kilkakrotnie.

Bez rezultatu. Ta niczym zahipnotyzowana wciąż klekotała wersy modlitwy. Nie miał innego wyjścia. Uniósł rękę, zatrzymał ją na chwilę w górze, wzbierając w sobie odwagę, po czym po raz pierwszy w życiu uderzył ją. Mocny cios otwartą dłonią wylądował na jej lewym policzku. Kobieta zesztywniała. Słowa ugrzęzły jej w gardle. Spojrzała na Karola i padła mu w ramiona.

– O Boże… Karol… przepraszam cię – szlochała w jego ramię. – To kara. Kara za mój grzech. Za to co ci zrobiłam, biedaku. Czy kiedykolwiek mi wybaczysz?

– O czym ty mówisz? Wracajmy do samochodu. Dygoczesz z zimna.

– Bóg mnie karze… To wszystko kara.

– Jaka kara? Za co?

– Miałeś się nigdy nie dowiedzieć…

– O czym ty mówisz? – zaniepokoił się słowami i zachowaniem ukochanej. Czyżby postradała zmysły?

– Wiem, że nie wyjedziemy stąd, dopóki ci tego nie powiem.

Amanda zamilkła. Czekała aż słowa same opuszczą jej usta... bezwolnie. Ot tak, po prostu, jak podczas wielu kłótni z Karolem, gdy gorzkie frazy – których po wszystkim nawet nie pamiętała, a których później przychodziło jej żałować, gdy wracał do nich mąż – wypluwała z siebie z szybkością karabinu maszynowego. Nic takiego jednak nie następowało. Nie w tym przypadku. Całkowicie inny był charakter wyznania, na jakie miała się zdobyć. Musiała w pełni świadomie powiedzieć to, co od tylu miesięcy ciążyło jej na duszy. Zmaterializować to i uwolnić, choćby z największym bólem. Litera po literze, wyraz po wyrazie.

– To nie jest twoje dziecko.

– Co? – mąż odsunął Amandę od siebie na długość ręki. – Co ty bredzisz, kobieto?!

– Przepraszam. Czułam się taka samotna.

– Powiedz, że sobie ze mnie żartujesz – odskoczył, nie dowierzając w to, co przed chwilą usłyszał. – Odgrywasz się za to, że tu wylądowaliśmy. Za te wszystkie kłótnie. Prawda...?

– Przepraszam. Chciałam ci o tym powiedzieć, jak tylko się dowiedziałam. Ale bałam się. Odkładałam tę rozmowę na później. Z czasem zobaczyłam, że nie ma sensu ci mówić. Tak się cieszyłeś, że zostałeś ojcem. Kochałeś to dziecko i chciałam, aby tak pozostało... Dodatkowo, moja matka mówiła, że nie ma sensu. Po co cię krzywdzić. Niszczyć nasz związek. Dziecko potrzebuje ojca.

– To ona o tym wie?!... Kto jeszcze?! Twój tatuś też? Pewnie zaśmiewa się ze mnie swoją zapijaczoną gębą, chlejąc tanie winka z kumplami.

Amanda obserwowała, jak Karol krąży nerwowo. Obłęd wytyczał mu drogę. Trzymał się za głowę, mierzwiąc przemoczone włosy. Gdyby nie fakt, że były niemal przyklejone do skóry czaszki i wyślizgiwały mu się spomiędzy palców, wy-rywałby je w amoku na potęgę. Mówił przepełniony jadem:

— Może się ze mnie śmieje, a sam jest rogaczem? Całkiem możliwe. W końcu jaka mamusia, taka córka. A ty znasz swo-jego prawdziwego ojca? Co?

— Nie mieszaj do tego mojej rodziny. To sprawa tylko mię-dzy tobą a mną.

— Wielka mi katoliczka. Kościółek, modlitwy, a rypie się, z kim popadnie.

— Proszę cię, nie mów tak. To był incydent. Błąd.

— Incydent! — skoczył do niej, grożąc jej pięścią. — Może mi jeszcze powiesz, że przypadek! Znam go?! Powiedz mi, kur-wa, kim on jest!

— Po co? To i tak nic nie zmieni. A zniszczy niepotrzebnie życie kolejnym osobom.

— A co, kurwa, mam cierpieć sam? Niech jego połówka też się dowie. Niech pozna prawdę o swoim partnerze. Może bę-dzie się chciała zemścić i w ramach rewanżu sobie pociupciam. Piękna zemsta. Czemu nie, do cholery? Wiesz, ile razy miałem okazję i ochotę cię zdradzić? Wiesz, szmato?! Ale nie. Nie zro-biłem tego. A wiesz dlaczego? Bo cię kochałem. Wiesz w ogó-le, co to słowo oznacza?!

— Wiem — odpowiedziała cicho i z pokorą.

— O nie, mylisz się. „Kocham cię" to nie kutas innego fa-ceta.

— Przestań. Nie wyżywaj się na mnie. Nie oczekuję wyba-czenia. Ani tego, że wciąż będziemy razem.

— Co?! — wypalił zdumiony. — Razem?! Po tym wszystkim?! Chyba cię pojebało!

Amanda rozpłakała się.

– Karol, to nieistotne. Najważniejsze jest teraz życie dziecka. Czemu ono winne.

– Jakby to powiedziała twoja fałszywa matka: z grzechu się narodził, w grzechu niech umrze. Deszcz to nie woda święcona. Wróci tam, skąd przybył. A ty razem z nim. Piekło czeka.

– Karol, musimy uratować Adasia.

– Adam… Już wiem, dlaczego nalegałaś na to imię. Gdyby miała urodzić się dziewczynka, pewnie dałabyś jej imię Ewa. Twórcy grzechu.

Karol zsunął z palca obrączkę i cisnął nią w Amandę.

– Uratujmy go… słyszysz? – spojrzała na niego błagalnie. – Później zadecydujemy, co dalej.

– Ależ ja już zadecydowałem! Zdechnij tu razem z tym bękartem.

Pobiegł do samochodu, zostawiając zrozpaczoną Amandę samą. Oddalając się, słyszał jeszcze jej nawoływania. Kiedy jednak dopadł do pojazdu i zamknął się w jego szczelnym wnętrzu, zasuwając szyby, słyszalny był już tylko bulgot dieslowskiego silnika oraz odgłos ciężkich kropel deszczu uderzających o blachę.

***

Wodospad deszczu zalewał przednią szybę. Mimo to Karol mknął jak szalony niemal po omacku. Pragnął uciec jak najdalej od tego miejsca, jak najdalej od tej fałszywej kobiety. Jak mogła mu to zrobić? Jak mogła go zdradzić i okłamywać przez tyle miesięcy? Walił wściekły rękoma w koło kierownicy. A najgorsze w tym wszystkim było to, że gdyby nie sytuacja, w jakiej się znaleźli, gdyby nie ten cholerny las, to mógłby się o tym wszystkim w ogóle nie dowiedzieć.

– Rogacz! – krzyknął ze złością. Został przysłowiowym rogaczem. Pasował więc jak ulał do tego miejsca. Może powinien tu zostać na zawsze? Może tego chciał ten przeklęty las?

– Beee... beee – chciał, aby jego pojękiwania brzmiały niczym ryk jelenia – gdyby tylko wiedział jak go naśladować. Amanda na pewno by mu pokazała. W końcu pochodziła ze wsi, a lata młodości spędziła, szlajając się po lesie. No i to ona przyprawiła mu te rogi.

Zatrzymał nagle samochód. Elektroniczne systemy kontroli trakcji uchroniły go przed wpadnięciem w niekontrolowany poślizg. Sięgnął do kieszeni marynarki i wyciągnął plastykowy pojemniczek. Przetarł wierzch palca wskazującego lewej dłoni i wysypał na niego całą zawartość. Nadmiar proszku opadł mu na spodnie.

Wpatrywał się przez chwilę w biały puch. Wszystko przez to gówno! Gdyby nie skrywał tego w kieszeni marynarki, nie zaświtałaby mu w głowie myśl, aby ukryć się przed jadącym za nim policjantem w lesie. Mało tego, gdyby nie ten czarny pojemniczek zaraz po rozmowie z Mirkiem pojechałby za nim, a nie czekał, aż zniknie jak najdalej z pola widzenia. Trzymałby się na ogonie gliniarza do momentu, aż ten wyprowadziłby go z lasu.

Dmuchnął ze wściekłością prosto w wyprostowany palec. Biała chmura wzbiła się w powietrze, po czym opadła częściowo na tapicerkę samochodu, a częściowo na niego.

Wyszedł na zewnątrz.

– Bawi cię to?! – wrzeszczał z rozpostartymi rękoma, obracając się dookoła. – Kimkolwiek jesteś! Bawi cię to?! Straciłem awans, a może i pracę! Straciłem żonę! Dziecko! Kurwa mać! Straciłem wszystko!

Padł na kolana. Ukrył twarz w dłoniach.

– A jak stąd szybko nie wyjadę, stracę i życie – zaszlochał cicho.

Niech rzuci pierwszy kamieniem ten, kto jest bez winy – zahuczało mu w głowie. Boże, skąd u niego te religijne frazesy? Czyżby Amanda z matką aż tak zatruły mu życie? Podświadomie przemyciły mu ten kaznodziejski bełkot? Skierował twarz prosto w deszcz. Jego chłód przyjemnie gasił żar gniewu.

Jednak w tym zwrocie o winie było dużo prawdy. Osądzał Amandę, a sam nie był w stu procentach czysty. Już nie wnikał w przyczyny jej wiarołomstwa – tego, iż ostatnimi czasy ją zaniedbywał i rzeczywiście mogła czuć się samotna. Chodziło o to, iż sam myślami wielokrotnie ją zdradzał. Nie przepuścił żadnej kobiecie, która wzbudziła w nim zainteresowanie – od razu oczami wyobraźni brał ją na niezliczoną ilość sposobów. Już dawno jego wyimaginowaną partnerką seksualnych igraszek podczas masturbacji przestała być w końcu małżonka. A to, do czego doszło przed dwoma dniami z Pauliną, przecież to było klasyczne cudzołóstwo. Zdradził, chociaż kochał. Nie oparł się zwierzęcemu pożądaniu. Jak więc Amanda mogła oprzeć się ludzkiej tęsknocie za bliskością drugiej osoby? Co z tego, że to ona zdradziła jako pierwsza. Nie wiedział o tym. Zatem w jego oczach to on był niewierny jako pierwszy. Co z tego, że ukrywała przed nim ten fakt? Sam w końcu nie zamierzał jej nigdy powiedzieć o tym, co zaszło między nim a Pauliną. Nie tylko Amanda była więc winna. Odpowiedzialność obciążała również i jego konto. To, na którą stronę szala występku przechylała się bardziej, było już bez znaczenia.

Co temu wszystkiemu winne było dziecko?… Amanda miała rację – musieli je uratować.

Wskoczył do samochodu i pojechał z powrotem do zrujnowanej chaty.

22.
Liczenie strat

Burza oddaliła się dość znacznie – przytłumione grzmoty dochodziły z mniejszą częstotliwością i intensywnością. Deszcz powoli słabł. Nie sączył się już z nieba ciągłym strumieniem i Karol mógł wyczuć na sobie każde pojedyncze uderzenie jego kropli.

Pozostawił samochód na drodze, zaraz przy skręcie do chaty. Wychodząc, ustawił klimatyzację na maksimum oraz wytarł skurzane siedzenia i tapicerkę. Kartkę z prośbą o pomoc zgniótł i wyrzucił na zewnątrz. Wszystko miał już zaplanowane. Chciał, aby Amanda zastała ciepłe wnętrze, które szybko przywróci odpowiednią temperaturę jej ciała. Gdy ona będzie ogrzewać zmarznięte dłonie o ciepły nawiew, on w tym czasie przygotuje dla niej suche ubrania. Począwszy od bielizny, na obuwiu kończąc. Ręcznikiem wytrze jej włosy. Kocem okryje ciało. Jedyne, czego nie będzie mógł jej zapewnić, to łyk gorącej herbaty oraz ciepło swego serca.

Z daleka zauważył otwarte drzwi domu. Tam też ją zastał. Siedziała na podłodze. Rękoma – na tyle, ile pozwalał jej na to ciężarny brzuch – obejmowała podkurczone nogi, mocno przyciskając je do ciała. Kolanami dotykała niemalże brody. Kołysała się w przód i w tył. W palcach prawej ręki obracała jego ślubną obrączkę. Drżała cała z zimna.

W pierwszej chwili, z przyzwyczajenia, chciał do niej dopaść i objąć ją. Wydarzenia ostatnich kilkudziesięciu minut sprawiły jednak, iż stać go było jedynie, by wystawić pomocną dłoń.

– Chodź, ogrzejesz się w samochodzie. Wszystko przygotowałem. Nie możesz zachorować. Musimy zatroszczyć się o dziecko.

Uniosła lekko głowę zaskoczona widokiem męża. Nie słyszała, kiedy przyjechał ani kiedy wszedł – myślami była wtedy zupełnie gdzie indziej. Na jej twarzy pojawił się lekki uśmiech.

– Cieszę się, że zmieniłeś zdanie.

– Nie przyszedłem tu dla ciebie – wiedział, iż te słowa mocno ją zranią. Wypowiedział je jednak z premedytacją. Ból, jaki zagościł na jej twarzy, sprawił mu nawet drobną satysfakcję.

– Gdzie chcesz iść? – starała się zachować posągową mimikę. Z trudem powstrzymywała łzy. – Stąd nie ma wyjścia.

– O czym ty bredzisz? Zawsze jest jakieś wyjście. Albo sami je znajdziemy, albo ktoś znajdzie je za nas.

– Do momentu naszej ostatniej kłótni też tak myślałam. Sądziłam, że zabłądziliśmy za karę za moje przewinienie. I dopóki ci nie powiem o zdradzie, to stąd nie wyjedziemy... Myliłam się.

– Co? – prychnął ironicznie.

– Napis wszystkiemu przeczy. Tu chodzi o coś więcej.

– Amanda... – przykucnął naprzeciwko żony. Jeszcze tylko tego mu brakowało, by na domiar złego postradała zmysły. – Masz po prostu przemęczony mózg. Zbyt dużo emocji. To wszystko.

– Nie wierzysz mi? To wyjdź na ganek i przeczytaj napis na górnej belce.

Zrobiłby wszystko, aby udowodnić jej, że się myli. Ale wiedział, iż powinien działać delikatnie, by nie pogarszać jeszcze bardziej jej stanu – wtedy na pewno uda mu się nakierować jej rozumowanie na właściwe tory. Wyszedł więc pokornie sprawdzić, o czym mówiła.

Wrócił po kilku sekundach.

– To o niczym nie świadczy. Może Krystyna wyryła ten napis również na innych domach.

– Czy ty zawsze na wszystko musisz mieć logiczną odpowiedź? Rozejrzyj się. To dom Pauliny.

– Nie, to niemożliwe. Na moje oko opuszczony jest od kilku lat, a nie od trzech dni. Spójrz na szyby, są powybijane. To ruina.

– Karol, jesteś aż tak ślepy? To ten sam wieszak na kurtki i półeczka – zaczęła wskazywać po kolei wymieniane przedmioty – ta sama szafka na buty, wielki dębowy stół, dwie ławy i trzy krzesła, obrus, wazon, lampka nocna, kuchnia kaflowa, obrazy, rzeźby, kinkiety, biały kredens. Wszystko jest identyczne. To jest ten sam dom.

– Ktoś sobie robi z nas jaja. Jak sama zauważyłaś, wszystko jest na swoim miejscu. A to przecież niemożliwe. Miejscowi dawno by te rzeczy rozkradli... Boże, co ja bredzę – złapał się za głowę. – Przecież to nie może być ten dom. Nikt nie zdołałby dokonać tak doskonałego postarzenia wnętrza zaledwie w kilka dni... Zapewne ktoś upodobnił tę ruinę do domu Pauliny. Z pewnością sama Paulina. Nawciskała nam jakichś kitów o czarownicach, wskazała nam złą drogę i teraz obserwuje nas zza drzewa, zrywając boki ze śmiechu. Na pewno to ona wyskrobała ten napis na tej ruderze.

Tak – Karol był tego niemal pewien. To by tłumaczyło zachowanie Pauliny tamtej nocy, kiedy go uwiodła. Jej grę. Chorą grę. Znalazła sobie dwie zabłąkane ofiary i się nimi zabawiała. Z nudów, dla żartu lub z jakiegoś innego popieprzonego powodu.

– Pomyślałabym tak samo, gdyby nie to, co mi się przydarzyło. Uwierz mi – westchnęła ciężko na samo wspomnienie

– miałam bardzo, ale to bardzo realistyczny poród. Urodziłam w nim martwego Adasia.

– Zwykły sen. Miałaś ich już pełno – zlekceważył jej wyznanie.

– Nie, to nie był sen… To działo się tutaj. W tym domu. Na tej podłodze – postukała w deski palcami, chcąc ukazać ich rzeczywistość.

– Śniłaś na jawie – obstawał dalej przy swoim.

– I to jest twoje wytłumaczenie? – zapytała oburzona.

– Jesteś bardzo zmęczona i zestresowana. Więc…

– Ten chłopiec i te dwie laski w kabriolecie to też sen?

Karol pokiwał potwierdzająco głową.

– Wracajmy do samochodu i spieprzajmy stąd jak najdalej – powiedział, po czym ponownie wyciągnął dłoń do Amandy.

Odtrąciła pomoc.

– O Boże, dałem dupy, że nie pojechałem wtedy za Mirkiem – westchnął nagle załamany. – Teraz mam za swoje.

– O czym ty mówisz? – wlepiła w męża piorunujące spojrzenie.

– To nic ważnego – oznajmił wyraźnie zmieszany.

– Karol! – warknęła. – Nie powiedziałeś mi o tym!

– No bo… wtedy to było nieistotne.

Żałował teraz, że przed chwilą zapomniał się i napomknął o spotkaniu. W jego odczuciu jej reakcja była – tradycyjnie ostatnio – nieadekwatna do sytuacji. Biorąc pod uwagę jej stan, powinien bardziej uważać na słowa.

– Spotkałeś policjanta i nie poprosiłeś o pomoc? Kiedy?

– Zaraz po tym jak wyjechaliśmy od Pauliny. Stał na drodze. Podszedłem do niego i zamieniliśmy kilka słów. Paulina miała rację, to niezły dupek.

– Nie pamiętam tego.

– Spałaś. Przebudziłaś się, gdy odjechał. Wróciłem do samochodu, a ty zapytałaś mnie, co robiłem na zewnątrz.

– Nie spałam wtedy – oświadczyła, przypominając sobie całe zdarzenie. – Obserwowałam cię. Stałeś i gadałeś sam do siebie. Gestykulowałeś i kopałeś liście. Naprawdę dziwnie się zachowywałeś. No ale cóż, podczas pracy też często bełkoczesz sam do siebie, więc przeszłam nad tym do porządku dziennego.

– Co ty mi chcesz wmówić?! – nachylił się nad Amandą, patrząc jej prosto w twarz. – Odgrywasz się na mnie? Chcesz mi wmówić, że i mnie się pieprzy w głowie?

– Ależ nie, Karol... – jęknęła bojaźliwie.

– O nie, moja panno. Wszystko, co przeżyłem w tym lesie, było prawdą. Było realistyczne. Rozumiesz?

– Tak jak mój poród, a tym bardziej spotkanie Jasia i tych dwóch kobiet.

– Nie! Ty śniłaś. Ja nie.

Nagle ważniejsze od zdrowia psychicznego Amandy stało się dla niego to, aby udowodnić, iż sam nie oszalał, nawet kosztem wepchnięcia żony w jeszcze większą psychozę.

– Ja mam dowód. A ty masz to – dotknął jej brzucha. – Dowód, że nie urodziłaś. Śniłaś. Pogódź się z tym.

Sięgnął do kieszeni spodni i z szyderczym chichotem wyciągnął telefon. Wszedł do menu ostatnich połączeń.

– Co, do kurwy?! – Radość tak szybko jak pojawiła się na jego twarzy, tak szybko z niej zniknęła. – Nikt do mnie nie dzwonił. To nie możliwe...

Wyrwała telefon z jego ręki i spojrzała na spis połączeń przychodzących. Brak dowodu na rozmowę Karola z Piotrem potwierdzał jej najgorsze obawy: tu działo się coś niedobrego, diabelskiego.

– Nie może być… Ja nie oszalałem… – bełkotał pod nosem.

– Ja też nie. Czy teraz mi wierzysz?

– Ale ja słyszałem Piotra… Widziałem Mirka.

– Coś jeszcze przede mną ukrywasz?

Pokręcił przecząco głową. Nie miał zamiaru wspominać jej o przygodzie z Pauliną. Uzmysłowić jej, iż wcale nie jest lepszy od niej. Że jest takim samym zdrajcą jak ona. A nawet gorszym – zdradzającym żonę w dziewiątym miesiącu ciąży. Przecież namiętna noc z zielarką nie mogła być efektem jego wyobraźni. Odczuł to zbyt wieloma zmysłami, aby uznać to za fikcję.

– Mam nadzieję, że mówisz prawdę.

– Proszę, przestań. W tych kwestiach akurat nie jesteś ekspertką, kłamliwa dupodajko.

Amanda miała ochotę rzucić się na Karola i wydłubać mu oczy. Była na niego wściekła, za to jak ją traktował. Czego by nie zrobiła, jak bardzo by go nie skrzywdziła, to w swoim odczuciu nie zasługiwała aż na takie słowa. Nie tylko on cierpiał.

Zapanowała cisza. Cisza pełna negatywnej energii. Atmosfera była tak gęsta, iż nawet najmniejsza iskra wywołałaby kolejny wybuch.

***

Karol stał przy wybitym oknie i marzył. Marzył o tym, aby wyrwać się z tego przeklętego lasu. By jak najszybciej odstawić Amandę do matki – niech tam rodzi bez niego, tylko w towarzystwie mamusi, doradcy od siedmiu boleści – a następnie wrócić do Warszawy i naprostować sprawę z zarządem firmy. Po wszystkim pragnął usiąść ze szklanką whisky w ręku i słuchając swojej ulubionej muzyki, zastanowić się na spokojnie, co robić dalej. Niemal czuł smak zimnego szkockiego rarytasu rozlewającego się po podniebieniu, spływającego przełykiem do żołądka, rozgrzewającego wnętrzności, a po chwili przyjemnie szumiącego w głowie i dającego ukojenie skołatanym nerwom.

– Halucynacja… O Boże, wszystko jasne! – krzyknęła nagle Amanda, przywracając go do ponurej rzeczywistości. – Paulina to przecież zielarka. A my piliśmy w jej domu ten kompot. Pewnie to była jakaś narkotyczna mikstura.

– Twierdzisz, że jesteśmy naćpani? – nowa rewelacja żony omal nie zwaliła go z nóg.

– Ooo… i to jak.

– To niemożliwe – zaprzeczył.

Odpowiedź na wszystko, co im się przydarzyło, nie mogła być przecież aż tak banalna. Była jednak najbardziej prawdopodobna i Karol dobrze o tym wiedział. Tylko ona tłumaczyła wszystko, czego byli świadkami. W obecnej sytuacji zdolny był więc przyjąć każdą wersję, byleby nie wyjść na niedorajdę gubiącego się w lesie oraz na świra z omami. Dlaczego więc nie narkotyki?

– Oj, Karol, uwierz mi. W młodości brałam takie specyfiki, że to co próbowałeś na studiach to dziecinna zabawa. Las to istna apteka. Skarbczyk ćpuna. Natura jest najlepsza.

– Słyszę, że skrywasz wiele sekretów. Czego jeszcze dziś się o tobie dowiem?

– Przecież ci mówiłam.

– Myślałem, że mówiłaś o trawce lub grzybkach. O tym, czego próbowaliśmy wielokrotnie razem.

– Na takich naturalnych specyfikach godziny zamieniają się w dni, a widzi się takie rzeczy, że mózg mówi dość. Możliwe, że jesteśmy tu dopiero godzinę, może trochę dłużej. To dlatego nie możemy wyjechać. Krążymy w kółko w swoich naćpanych głowach.

– Czyli według ciebie pozostaje nam przeczekać, aż faza minie? Ot tak po prostu?

– Ha-ha-ha – roześmiała się. – Jestem pewna, że stoimy teraz w domu Pauliny i jesteśmy tak naćpani, że widzimy to, co widzimy: tę ruinę. Możliwe nawet, że Paulina stoi tu gdzieś obok nas, a my jej nie dostrzegamy. Patrzy na nas i ubolewa, że spieprzyła swoją miksturę. Albo wręcz przeciwnie: jest z siebie dumna. Pewnie tym dorabia na życie. O Boże, to dlatego nie odczuwamy pragnienia ani głodu. Paliwa nie ubyło w baku. Bo nie jesteśmy tutaj od trzech dni. Mam tylko nadzieję, że nie zaszkodzi to Adasiowi – posmutniała na tę myśl – że nie uszkodzi mu mózgu. Boże, a jak urodzi się naćpany? Lekarze na pewno to wykryją. Odbiorą mi go.

– Nie przesadzaj. Chodź ogrzać się do samochodu – Karol wyszedł na ganek. – Przeczekamy to gówno i ruszymy w drogę.

***

Siedzieli na przednich siedzeniach – każde na swoim dotychczasowym miejscu. Amanda bardzo sprawnie uwinęła się z wymianą odzienia. Mokre ubrania upchała luzem do bagażnika. Karol nie miał takiego bogactwa wyboru. Pozbył się jedynie mokrej marynarki i spodni, rzucając je na tylne siedzenie. Siedział w samych majtkach przykryty jedynie kocem.

Wnętrze samochodu nagrzało się do tego stopnia, iż przebywanie w nim stało się na dłuższą metę nie do wytrzymania. Karol, na wyraźną prośbę Amandy, zmniejszył zatem temperaturę oraz uchylił delikatnie okna, wpuszczając nieco świeżego i wilgotnego powietrza.

— Wiesz co? Może to zabrzmi dziwnie, ale ulżyło mi, że to są tylko narkotyczne wizje. — Ściągnęła z głowy turban z ręcznika, zadaniem którego było wchłonąć jak najwięcej wilgoci z włosów. — Już się bałam, że postradałam zmysły. Że to sprawka samego diabła, a my wylądowaliśmy w piekle. Albo, jak sugerowałeś, że ktoś faktycznie się nami zabawia.

— Szkoda tylko, że twoja zdrada jest prawdziwa — oznajmił oschle.

— Szkoda...

— Nie powiesz mi, kto jest ojcem?

— To nieistotne.

— Tak ci się tylko wydaje. I tak się dowiem.

— Nie sądzę.

— Adamowi też nie powiesz? Kiedyś przecież o to zapyta. A mnie w ojcostwo nie wrobisz.

— Nawet nie mam takiego zamiaru.

— Ale, kurwa, miałaś!

Przemilczała jego wyrzut. Dotknęła palcem białych kropek pokrywających kokpit samochodu. Karol zauważył jej zainteresowanie proszkiem. Z bocznej kieszeni drzwi wyciągnął ściereczkę i wytarł go jak zwykłe, codzienne zabrudzenie.

— To dlatego z takim zainteresowaniem słuchałaś historii Pauliny — kontynuował wymierzanie batów. — Puszczalska Krystyna i bękart Paulina są ci z oczywistych względów bliskie sercu, czyż nie?

Amanda wciąż milczała. Dusiła w sobie chęć zadania ciosu. Najlepiej sierpa prościutko w nos, aby krew zalała tę jego niewyparzoną szczekaczkę.

— Widzę, że ty w ogóle nie czujesz się winna. Jedźmy zatem. Im wcześniej wydostaniemy się z tego lasu, tym lepiej. Każda

dodatkowa minuta sam na sam z tobą przyprawia mnie o od-
ruch wymiotny.

– Po co chcesz jechać? – wybełkotała poirytowana.

– Odnaleźć drogę. Jak inaczej dowiemy się, że narkotyki
już przestały działać?

– Idąc tym tokiem rozumowania, odnaleziona droga też
może się okazać halucynacją.

– Więc co sugerujesz, do cholery?

– Zaczekajmy.

– Na co?

– Aż dom powróci do swojego rzeczywistego wyglądu. Aż
zobaczymy Paulinę.

– Ja nadal twierdzę, że to nie ten sam dom. W wersję z nar-
kotyczną miksturą jestem w stanie uwierzyć. Sam w końcu
doświadczyłem omamów. To jedyne logiczne wytłumaczenie i tego powinniśmy się trzymać. Ale choćbym nie wiem
jak mocną Paulina przygotowała miksturę, to halucynacje nie
mogą być aż tak intensywne.

– Oj mogą, uwierz mi. Może przedawkowaliśmy. Nie wiadomo jak silną dawkę przyjęliśmy. Na pewno znasz tę historię,
jak po grzybkach młode małżeństwo upiekło w piekarniku i zja-
dło kawałek swojego małego dziecka. Myśleli, że to kurczak.

– Słyszałem. To miejska legenda, nic więcej.

– Oczywiście, ty jak zwykle musisz mieć swoje wyjaśnienie – prychnęła oburzona.

– Sądzę, że nas naćpała i obserwuje. Chce sprawdzić jakość
swojego wywaru. Aranżuje pewne sytuacje. Testuje nas i nasze reakcje. To chora, zdziczała kobieta.

– Karol, nie sądź, żeby Paulina cokolwiek aranżowa-
ła. Przypominam ci, że to my nieproszeni weszliśmy do jej
domu. Kompotu pod nos też nam nie podstawiła. Sami się

w to wpakowaliśmy. Wielopokoleniowe zielarskie doświadczenie rodzinne Pauliny dało po prostu o sobie znać. No cóż, jedno muszę jej przyznać: wykonała niezłą robotę. Smakowało zupełnie jak prawdziwy kompot jabłkowy. To, co ja pijałam, ledwo dawało się wlać do ust.

— Zaraz, kurwa! — spojrzał na nią zaskoczony. — To nie tak!

— Co?

— Ja przecież nie piłem kompotu. Nawet kropelki.

23.
Wersja Karola

— Skończ z tym pieprzeniem, do cholery! — Karol stał nad klęczącą na ziemi żoną i zakładał w pośpiechu mokre spodnie.

Kiedy tylko dotarło do niej, iż Karol faktycznie nie zaczerpnął nawet łyka kompotu i jej teoria z narkotycznymi halucynacjami nie jest warta funta kłaków, wyskoczyła z samochodu, niczym wystrzelona z procy. Padła na kolana, złożyła ręce i przystąpiła do żarliwej modlitwy.

— Jak do tej pory nigdy ci to nie przeszkadzało — przerwała modły.

— Dokładnie: jak do tej pory. Ale jakbyś nie zauważyła, wiele się dziś zmieniło. Ty się zmieniłaś. On ciebie nie wysłucha. Hipokrytów ma głęboko w dupie.

— Nie bluźnij.

— Wolę bluźnić słowem niż czynem, jak ty.

— Przestań... Proszę, przestań — ukryła twarz w dłoniach. Jej ciałem targały takie wielkie spazmy rozpaczy i płaczu, iż trudem łapała powietrze w płuca.

– Nie rozumiem twojej reakcji. Bardziej do zaakceptowania jest dla ciebie perspektywa narkotycznych wizji niż fakt, iż zostało to wszystko zaplanowane z zimną krwią.

– Karol, co ty bredzisz? Czy nie widzisz, że dzieje się tu coś niewytłumaczalnego?

– Tak, niewytłumaczalnego dla małych umysłów. Ale ja już powoli wszystko zaczynam kapować. Poszczególne elementy układają się w logiczną całość.

– Przed momentem logiczny był dla ciebie narkotyczny kompot.

– Dałem ci się omamić.

– Oj, biedactwo. Od kiedy to stałeś się taki podatny na moje sugestie?

– To co? Chcesz poznać moją wersję wydarzeń? – Nie czekał na odpowiedź, tylko zaczął mówić: – Najpierw musimy uzmysłowić sobie fakt, że na dniach szykował się mój awans. Zważywszy na to, jak świetnie pracowałem przez ostatnie lata oraz jak sprawnie uwinąłem się z ostatnim zadaniem, było to nieuniknione. Jednak ktoś jeszcze stanął ze mną w szranki do nowej pozycji: syn Piotra – Michał. On również miał świetne wyniki. Ale mimo wszystko to ja byłem faworytem w tym wyścigu. Kwestie mojej promocji miały być omówione dzisiaj. Jeśli zatem nie zjawiłbym się na spotkaniu, oznaczałoby to, że mi na tym po prostu nie zależy. W takim wypadku awansik powędrowałby do rączek synka Piotra. No, a wiadomo, tatuś to zawsze tatuś. Dba o dzieci... Piotr wpadł więc na genialny pomysł. Zaplanował, bym nie pojawił się na najważniejszym spotkaniu w moim dotychczasowym życiu. To on powiedział mi o tym skrócie, bo chciał, bym nim pojechał. Opłacił gliniarza, aby siadł mi na ogonie na kilka kilometrów przed skrętem. Piotr wiedział, że wtedy na pewno wybiorę na odczepnego ten właśnie skrót. To, że wjechałem do lasu, nie było zatem dziełem przypadku. Sprowokował mnie do skrętu. Najtrudniejsze zatem Piotr miał za sobą. Wylądowałem w lesie, z którego tak naprawdę nie ma wyjścia. Wszystko zostało ukartowane. Awans ma wpaść w rączki Michała, o ile już, kurwa, nie wpadł!

— Karol, czy ty się słyszysz?

— Co, a może nie mam racji? Paulina też w tym bierze udział. To ona nas zagadywała, wciskając jakieś zmyślone historyjki o jej rodzinie żyjącej w tym lesie. Amanda, takie piękne kobiety, jak ona, nie żyją samotnie w lasach. To jakaś aktorka, a te dla kasy zrobią wszystko. Uwierz mi, wszystko. Nawet będą się pieprzyć dla zrealizowania celu... Tak więc ona nas zagadywała, a Mirek w tym czasie zamaskował wjazd do lasu, którym przyjechaliśmy. Zamknął nam w ten sposób drogę powrotu. Kiedy zatrzymał się obok domu Pauliny, to był znak, że już wszystko zrobione. Wtedy Paulina chwilę nas przetrzymała. Pamiętasz, mówiła, abyśmy jeszcze chwilę zostali... Nie mogliśmy pojechać za Mirkiem od razu, bo jeszcze musiał zamaskować drogę przed nami. Następnie napatoczyłem się na Mirka. Dokładniej rzecz ujmując, to on mnie zatrzymał, bowiem nie zdążył jeszcze zamaskować wyjazdu z drugiej strony lasu. Zatrzymał mnie i zaczął grozić, bo wiedział, że się przestraszę i nie będę chciał jechać bezpośrednio za nim. To dało mu czas na dokończenie pracy. Na koniec ukryli jeszcze rzekomy dom Pauliny, a odsłonili to paskudztwo. Resztę już znasz. Był jeszcze telefon od Piotra. Wyraźnie mi powiedział, że już po mnie, a na moim pechu skorzysta jego syn.

— Karol, nie było żadnego telefonu. Przecież dobrze o tym wiesz. Oprzytomnij wreszcie i przestań wygadywać te bzdury.

– Właśnie ten brak śladu rozmowy w pamięci telefonu wydaje się największym problemem… Ale niezupełnie… Twoja ciąża, Amando, i to, że nie chcesz mi powiedzieć, kto jest ojcem, wszystko wyjaśnia.

– Co ty wygadujesz, do cholery?! – patrzyła na niego z niedowierzaniem.

– Tylko jedna osoba mogła usunąć tę rozmowę: ty!

– Boże… Karol, uspokój się. Na miłość boską, uspokój się!

– Tak, ty. A zrobiłaś to, bo chciałaś pomóc prawdziwemu ojcu Adasia. Chciałaś wziąć ze mną rozwód, który *nota bene* dałbym ci bez problemu. A następnie wyjść ponownie za mąż. Za Michała. On zapewne poświęcał, i poświęcać ci będzie, więcej czasu ode mnie, bo w firmie foruje go tatuś i nie musi tak zapierniczać jak ja, aby osiągnąć to samo. Pewnie obiecał ci jakieś dalekie podróże zaraz po tym, jak dostanie awansik i weźmiecie ślub, a ty łyknęłaś to jak dobra dziwka spermę.

– Czy ty masz jakąś paranoję?!

– Co, głupio ci, że odkryłem i twoją grę?

Amanda wstała z ziemi i stanęła twarzą w twarz z mężem.

– Nie było żadnego telefonu – mówiła przez zaciśnięte zęby – a ja nie usunęłam żadnego dowodu, ponieważ nie mogłam tego zrobić, gdyż nie miałam tego pieprzonego aparatu w ręce. Dotknęłam go dopiero w domku, kiedy sprawdzałam razem z tobą spis rozmów… Co, zamurowało cię? Przypomnij sobie… Od twojej rzekomej rozmowy z Piotrem widzieliśmy się przez chwilę przy samochodzie, a później przed chatą. Kiedy więc niby miałam to zrobić?!… Jak w ogóle mogłeś tak pomyśleć? Czy ty coś bierzesz? Co to był za biały proszek w samochodzie?

– Nie odwracaj kota ogonem. To było jakieś zwykłe zabrudzenie. Nawet nie zdajesz sobie sprawy, jak często muszę myć samochód – próbował zbagatelizować jej odkrycie.

– Amfetamina, kokaina czy jakieś inne świństwo? – drążyła dalej temat.

– Daj spokój, do cholery!

– Bo co, panie perfekcyjny?

– Bo... – zaciął się, szukając odpowiednich słów bezdyskusyjnie zamykających temat. Nie znajdując ich, krzyknął jedynie: – Po prostu się zamknij!

– „Zamknij się" i koniec tematu?! Tak sobie wyobrażasz nasze dalsze relacje?! – odpowiedziała mu z taką samą nienawiścią w głosie i zaraz potem z bólem złapała się za brzuch: – O Boże...

– Co się dzieje? – instynktownie chwycił Amandę pod rękę dokładnie w momencie, gdy ugięły się pod nią nogi.

– Skurcz. Bardzo mocny skurcz – odpowiedziała z grymasem.

– Wejdźmy do auta, dobrze?

Pokiwała potakująco głową. Doprowadził ją powoli do samochodu i usadowił ostrożnie na siedzeniu pasażera.

– Jak się czujesz? Już lepiej? – zapytał, siadając się tuż obok niej.

– Tak – oddychała głęboko, masując się po brzuchu.

– Amanda, co teraz? Nie możesz tu rodzić. Ja nie podołam. – Nagle spokorniał wystraszony stanem żony. – Ja już nic nie kapuję. Musimy się stąd wyrwać. Tylko jak? Jak, do cholery!

– Dom – oświadczyła spokojnie, wskazując nań palcem.

– To ten sam dom. Musimy tam iść. Tam znajdziemy odpowiedź.

24.
Dobro umiera w ciszy

Pierwsze z ptaków opuściły kryjówki i nieśmiało zaczęły szczebiotać, przerywając ciszę po burzy. Las parował. Wszystko spowiła gęsta mgła. Powietrze było niesamowicie ciężkie – niemal czuło się jego wagę, gdy wypełniało płuca.

Karol szedł w pewnej odległości za Amandą. Kompletnie nie był przekonany do jej koncepcji eksploracji domu. Co mogli znaleźć w tej ruinie? Mapę okolicy z wiernie odwzorowanymi leśnymi traktami? Telefon stacjonarny z wciąż aktywnym abonamentem? Radionadajnik? Zresztą sama inicjatorka nie była w stanie dokładnie określić, czego tak właściwie będą szukali.

Przystał na propozycję Amandy z obawy o jej zdrowie – kolejny mocny wstrząs mógłby być już bowiem zalążkiem do rozpoczęcia akcji porodowej. Wiedział, że nie powinien jej denerwować. Obiecał to sobie już jakiś czas temu, jednak kilkakrotnie nie potrafił zapanować nad emocjami. Któż zresztą byłby w stanie? Zajścia ostatnich trzech dni, a zwłaszcza tajemnica, którą zdradziła mu małżonka, skruszyłyby nawet głaz. Teraz podjął jednak mocne postanowienie, że więcej nie da się już sprowokować.

Pokonał więc pokornie ten krótki odcinek drogi, jaki dzielił samochód od zrujnowanego domu, nie zadając kłopotliwych pytań. Miał zamiar położyć chwilę po chacie, poszperać bez entuzjazmu w zakamarkach, a kiedy nic nie znajdą – bo co znaleźć mogli – wrócić do samochodu i pojechać dalej z nadzieją na odszukanie pomocy. Taki miał plan, i z takim nastawieniem wszedł razem z żoną do chaty.

Widoczność, jaka panowała wewnątrz, nie zasługiwała nawet na miano półmroku. Późne popołudnie, mgła na zewnątrz i pozlepiane brudem zasłony sprawiły, iż promienie słońca docierały do środka mocno zdziesiątkowane. Amanda wyrwała Karolowi z ręki latarkę, którą zabrał z samochodu. Stanęła w miejscu, rozświetlając wszystko dookoła snopem światła. Pokiwała z pokorą głową przed czekającym ją zadaniem, po czym ruszyła na obchód.

Karol obserwował, jak Amanda poddaje wnikliwej obserwacji każdy przedmiot i mebel. Nie przepuściła żadnej szafce, półce czy szufladzie – zajrzała do każdej, przegrzebując znajdujące się tam rzeczy. Nie przeszkadzał jej wszechobecny kurz i pajęczyny, kobieta dzielnie znosiła ich nachalność. Nie naciskała, aby jej pomógł. Wolała pracować sama niż zadręczać się myślami, iż partner w swym niechlujstwie mógłby przegapić to, czego szukali.

Po kilku minutach zmieniła pomieszczenie.

– Zniknęły dwa obrazy – oświadczyła po krótkiej inspekcji sąsiedniej izby.

– Skąd wiesz?

– Zostały po nich ślady na ścianach.

– Może były wartościowe i ktoś z miejscowych je podprowadził?

– Nie sądzę. Myślę, że miały raczej wartość symboliczną dla tego, kto tu mieszkał.

– To są bezpodstawne spekulacje.

– Tak uważasz? Dlaczego w takim razie został ten? – skierowała światło na obraz z wizerunkiem Matki Boskiej z dzieciątkiem Jezus. – Bardzo piękna ikona, warta kilkaset złotych.

– Nie żartuj – Karol ruszył w kierunku obrazu.

– Ani się waż – zagroziła.

— Będziesz miała prezent dla matki. Ja cię nie zadenuncjuję.

— Jeśli myślisz, że jestem w stanie ukraść święty obraz i wręczyć go głęboko wierzącej osobie, to chyba mnie nie znasz.

— Tak, masz rację, chyba cię nie znam. Więc wcale bym się nie zdziwił. — Po tych słowach ugryzł się w język. Przesadził, a miał być ostrożny. Gorzkie frazy przychodziły jednak same. Złość i żal były mocniejsze niż jego postanowienie.

Amanda puściła Karolowi krótkie kąśliwe spojrzenie. I na tym poprzestała. Nie miała zamiaru wdawać się w żadną niepotrzebną pyskówkę — szkoda jej było czasu oraz energii.

— Karol, tu nic nie ma — oświadczyła załamana.

— A czego się spodziewałaś?

— Nie wiem — usiadła zrozpaczona na jednym z krzeseł. — To wszystko nie ma najmniejszego sensu. Gdybyś chciał coś ukryć, gdzie byś to schował?

— Dlaczego ktoś chciałby coś ukrywać?

— Paulina w tamtym śnie, który ci opowiadałam, chciała mi coś przekazać. Robiła to jednak w pełnej konspiracji tak, aby Krystyna tego nie zauważyła.

— Przywlekłaś mnie tu, bo szukasz wiadomości ze snu? — warknął zdumiony. — Amanda, to był tylko sen.

— A masz lepszy pomysł? Paulina chce nam coś powiedzieć. Ale tylko nam.

— Więc dlaczego to ukryła, do cholery?!

— Aby ktoś inny tego nie zabrał. To jest przeznaczone tylko dla nas.

— W takim razie niech powie nam to osobiście. Po co bawi się z nami jak dziecko, co?

— Nie wiem. Naprawdę nie wiem.

— Wychodzę. Mam dość tych bredni.

– I co chcesz zrobić?

– Na pewno nie będę tutaj siedział z założonymi rękoma. Zamierzam ich wszystkich powsadzać za kraty. Zwłaszcza tego psychopatycznego babsztyla.

– Chcesz jechać dalej? Dokąd?

– Czekam w samochodzie – oznajmił i wyszedł z chaty.

– Karol, zatrzymaj się – ruszyła za nim. – Nie poddawajmy się tak łatwo.

– A kto tu mówi o złożeniu broni? – stał oparty o kolumnę ganku. – Po prostu dość mam tych twoich bajek. To wszystko jest niedorzeczne, rozumiesz?

– Mylisz się. Mój sen, nasze omamy i ten dom – to wszystko razem coś znaczy.

– Już ci wytłumaczyłem, co znaczy. Przyjmij to w końcu do wiadomości.

– Boże, proszę, pomóż nam! – Amanda, w geście rozpaczy, skierowała błagalny wzrok w górę.

I wtedy to zobaczyła.

– Karol, zaczekaj! – złapała go za rękę. – Ukryłbyś wiadomość tam, gdzie osoba, dla której jest ona przeznaczona, spodziewa się ją znaleźć, czy tak? W miejscu, które obydwoje znacie. Tylko ten napis spełnia te warunki – zakomunikowała podekscytowana i weszła do chaty.

Zanim Karol zdążył cokolwiek odpowiedzieć, Amanda była już z powrotem. Przyniosła krzesło. Ustawiła je pod belką z napisem *Dobro umiera w ciszy*. Weszła na nie i z nadzieją zaczęła szukać pod strzechą dachu.

– Jest! – krzyknęła. – O Boże, jest! – zeszła z krzesła, demonstrując pożółkłą kopertę. – A nie mówiłam.

Łzy szczęścia ciekły jej z oczu.

– Co to jest? – patrzył zdumiony na znalezisko żony. – Kto to tam włożył? Amanda, czy ty ze mnie robisz debila?

– Zamknij się. Choć na moment się zamknij.

Rozerwała kopertę i wyciągnęła z niej kartkę. Na górze listu widniały słowa:

Do Amandy i Karola.

– I co? Teraz mi wierzysz?

Nie pozwoliła mu na jakikolwiek komentarz. Niezwłocznie zaczęła czytać:

Moi drodzy,
wybaczcie mi, że zwracam się do was w takiej a nie innej formie, ale tylko za pośrednictwem ukrytej wiadomości mogę przekazać wam niezwykle istotne informacje. Musiałam postąpić tak, a nie inaczej, albowiem pozostawienie listu w widocznym miejscu, miałoby zgubne konsekwencje zarówno dla mnie, dla znalazcy, jak i dla was. Dlaczego? O tym za chwilę. Na początek pewna historia, która pozwoli wam lepiej zrozumieć.

Jak wiecie – gdyż wam o tym opowiadałam – kiedy miałam dziesięć lat, uczęszczałam do miejscowej szkoły podstawowej. Zaraz na początku roku szkolnego miało miejsce pewne zajście. Pod nieobecność matki zaprosiłam po lekcjach do domu kilka koleżanek i kolegów, aby pokazać im nasz zielnik. Po ich wyjściu okazało się, że ktoś z nich ukradł mi kredkę. Matka na tę wieść zareagowała nad wyraz spokojnie, oświadczając, że już niedługo przekonamy się kto był tym złodziejaszkiem. Na drugi dzień w szkole nie zjawił się jeden z uczniów. Jak się później okazało, zaginął w lesie, wracając ode mnie do swojego domu.

Podejrzenia padły na moją rodzinę. Dopiero po wielu latach dowiedziałam się, iż słusznie. Wy, moi drodzy, jesteście jedynymi osobami, które poznają związaną z tą historią prawdę.

Zdradziła mi ją moja matka na krótko przed wypadkiem, w którym zginęła. Powiedziała coś w stylu: „Kochanie, nic się nie martw, jesteś bezpieczna. Nikt z miejscowych nigdy ci niczego nie ukradnie. Bądź tego pewna". Na początku nie wzięłam tych słów na poważnie. Po prostu myślałam, że po wydarzeniu z rzekomą kradzieżą drzewa z lasu i posądzeniem o to babci, mama uczuliła się na punkcie siódmego przykazania. I w gruncie rzeczy nie myliłam się. Uczuliła się, niestety, aż do przesady. Tak przeżyła uwięzienie Teresy, a później jej śmierć, że poprzysięgła zemstę. Dopiero po śmierci Krystyny odkryłam książki, które przede mną chowała. Księgi dotyczące czarnej magii. Wtedy skojarzyłam jej słowa z faktem zginięcia tego chłopca.

Jestem pewna, że to on ukradł mi tę czerwoną kredkę. Na imię miał Jan.

— O Boże, Karol. To jego właśnie spotkałam w lesie — oświadczyła zdumiona Amanda.

— Nie podniecaj się tak. Wyciągasz zbyt pochopne wnioski. Lepiej czytaj dalej.

Pokiwała zniesmaczona głową i przeszła do dalszej części listu:

Teraz wiem, dlaczego Jaś zaginął. I dlaczego zaginęliście i wy. Dopadła go klątwa rzucona przez moją matkę. Wy też musieliście mi coś ukraść. Nie mam pojęcia co, bo wszystko sprawdziłam i niczego nie brakuje. Ale okłamaliście mnie, mówiąc, że nie weszliście do domu. Weszliście! Mało tego, coś stamtąd wynieśliście i dopadło was to samo, co Jana. Uwierzcie mi, nie wiem, gdzie teraz jesteście. Według ksiąg mojej matki, z których czerpię tę informację, to jakiś równoległy wymiar. Przepełniony waszymi lękami i pragnieniami, z zaburzonym czasem i przestrzenią.

Dlatego nie dawajcie wiary we wszystko czego doświadczyliście, i jeszcze możecie doświadczyć, od chwili, kiedy opuściliście chroniący mnie teren z czymś należącym do mnie bez mojej zgody. Nie dajcie ponieść się emocjom, one bowiem tworzyć będą przed wami najróżniejsze rojenia i imaginacje. Tylko spokój i chłodna ocena sytuacji uchroni was przed zgubnymi mirażami. Tak więc, oddajcie to, co zabraliście, a wasz koszmar minie. Zostawcie to tam, skąd to zabraliście.

W tym momencie proszę was jeszcze o jedno: jeżeli możecie odnajdzie Jana i powiedzcie mu jak ma powrócić do swojej rzeczywistości. Wystarczy, że odda kredkę. Niech położy ją w domu. Byle gdzie. Chciałam przekazać mu informację, jak powinien postąpić, ale moje starania nie przyniosły efektu. To mały wystraszony chłopiec i nie dziwie się, że nie dostrzegał wskazówek, które mu zostawiałam. O ratunek dla Jana mogę was tylko prosić, i nie będę wam miała za złe, jeśli mu nie pomożecie. Poszukiwania chłopca mogą wam bowiem zająć sporo czasu. Egzystuje on bowiem na innym poziomie niż wy, i tylko od czasu do czasu może dojść do przecięcia się waszych światów, i to tylko w momentach szczególnego spokoju i wyciszenia – na przykład tuż przed snem lub w trakcie modlitwy lub medytacji.

Winna wam jestem jeszcze informację, dlaczego musiałam ukryć ten list. Otóż, gdybym zostawiła go w widocznym miejscu, odnaleźliby go policjanci – od momentu waszego zaginięcia kręciło się ich tu naprawdę sporo – a wtedy nastąpiłyby trzy istotne i połączone ze sobą fakty: mnie powiązano by z waszym zaginięciem, policjanci zabraliby z mojego domu coś, co do nich nie należało (mam na myśli ten list) i możliwe, że wylądowaliby tam gdzie wy, a wy z kolei nigdy nie przeczytalibyście tych słów.

W jednej z ksiąg Krystyny była wzmianka o tym, że klątwa zostanie zdjęta z domu wraz z odkupieniem krzywdy – ponownym narodzeniem. Ale nie mam zielonego pojęcia, co ten zwrot może znaczyć, i tak szczerze, to nie chcę wiedzieć, ponieważ zamierzam opuścić to przeklęte miejsce, jak tylko uspokoi się nagonka na moją osobę związana z waszym zaginięciem. Ale pragnę wyjechać z wiarą, że wy i Jan powrócicie, i nikt więcej nie popełni waszego błędu.

Przepraszam was za wszystko i życzę powodzenia,
Paulina.

PS. Mam nadzieję, że dobrze wybrałam kryjówkę. Oczywiście wy ten list możecie zabrać ze sobą – jest zaadresowany do was i do was należy.

– I co ty na to? – zapytała drżącym głosem.
– Ha ha ha, dobra jest. Naprawdę dobra. Wymyślić taką historię dla zemsty za głupią kradzież.
– Karol, co ty mówisz? – Amandzie dosłownie i w przenośni opadły ręce. – Ona chce nam pomóc.
– Wciągnęła w swoją gierkę policjanta, a nawet dziecko.
– Widzisz, mówiłam ci, widziałam tego chłopca. On był prawdziwy.
– Nic dziwnego, sama go tam umieściła. A teraz stoi gdzieś w pobliżu i czeka, aż oddamy, to co zabraliśmy. Później przekaże informacje Mirkowi, aby odblokował drogę. Miała dziwka kilka dni zabawy z mieszczuchami. Chora rozrywka znudzonej wsiowej panny.
– Jeszcze jakiś czas temu twierdziłeś, że to wszystko misternie skonstruowany podstęp Piotra, a Paulina jest przez niego opłaconym elementem. Teraz z kolei twierdzisz, że to jej sprawka. To w końcu kogo? Opamiętaj się wreszcie.
– To ty się opamiętaj. Jesteś taka łatwowierna. To chyba domena wszystkich wierzących, co? Klątwa i równoległy

wymiar – parsknął ironicznie. – I co jeszcze, może wiedźmy latające na miotłach?

– Mało masz dowodów?

– No dobrze, Paulino, ukarałaś nas! – krzyknął nagle, odchodząc od Amandy. Wyszedł przed dom i zaczął kręcić się wokół własnej osi, intensywnie wpatrując się w las. – Oddajemy, co zabraliśmy! Kończymy zabawę i rozchodzimy się wszyscy grzecznie do domów!

Amanda nie mogła uwierzyć własnym oczom, kiedy Karol wyciągnął z kieszeni garść cukierków toffi. Wystartowała w jego kierunku, krzycząc:

– Ty idioto, przez ciebie to wszystko!

– Amanda, nie bądź śmieszna – przyjął z pokorą pierwszy cios na pierś. Przed drugim już się osłonił, chwytając ją za nadgarstek. – Nie zabłądziliśmy w lesie, bo zabrałem kilka cukierków. Paulina musiała to wszystko wcześniej zaplanować.

– Ty dalej swoje?

Amanda wolną ręką chciała zadać kolejne uderzenie, lecz i ono zostało zablokowane. Obrona kosztowała jednak Karola utratę cukierków. Łapiąc instynktownie Amandę, wypuścił je z dłoni.

– Idę je oddać. Dość mam tej zabawy – oznajmił.

– Ile ich masz? – siłowała się z nim przez chwilę, jednak szybko dała za wygraną. Nie miała szans na oswobodzenie – był od niej o wiele mocniejszy.

– Co?

– Ile ich zabrałeś, że wciąż masz pełną garść. Dlaczego ich nie ubyło, co? Tak samo jak paliwa.

– Paliwa nie ubyło, bo nie przejechaliśmy tak dużego odcinka drogi, jak nam się wydaje. Jego poziom w zbiorniku nie opadł jeszcze do kolejnego czujnika. Możliwe, że jak odpalę silnik, to nagle będzie go o jedną czwartą mniej. A cukierków zabrałem naprawdę sporo. Miałem ich pełną kieszeń, a zjedliśmy zaledwie kilka. Więc daj już spokój z tym innym wymiarem, naiwniaczko.

– Wszystko zawsze musi być po twojej myśli, co?

– Zobaczysz, niedługo będziesz płonąć ze wstydu, że wierzyłaś w te bzdety. Zaczekaj tu na mnie.

– Nie. Nie oddawaj ich jeszcze – jęknęła błagalnie. – Musimy odnaleźć Jana. Jeśli je zwrócisz, to klątwa opuści tylko nas.

– Amanda, proszę, oprzytomniej wreszcie.

Oswobodził ją z mocnego uścisku, po czym zaczął zbierać upuszczone słodkości. Kiedy skończył, ruszył w kierunku chaty. Bardzo dobrze pamiętał, z którego miejsca zabrał cukierki. Od razu więc podszedł do kredensu, wysunął jedną z szuflad i wrzucił do niej wszystkie słodkości. Zastanawiał się, skąd Paulina będzie wiedziała, że je zwrócił. Zbyt wiele zadała sobie bowiem trudu, by oprzeć najważniejszy element swojej rozgrywki na tak kruchych fundamentach, jak wiara i zaufanie, że to zrobi. Najbardziej prawdopodobna wydawała się Karolowi kamera noktowizyjna zainstalowana gdzieś w domu. Tylko tak Paulina mogła dostrzec jego ruchy w panującym mroku. Zapewne Mirek użyczył jej jednej z policyjnych.

No przecież – uderzył pięścią w kredens. Jak mógł być tak głupi. To po to to wszystko. Ta cała inscenizacja. Chcieli nakryć go na zdradzie i sfilmować. A więc nie mylił się: Amanda brała w tym wszystkim udział. Tak samo jak Piotr i jego syn, Paulina oraz Mirek. A wszystko po to, aby to Michał dostał awans, a Amanda podczas rozwodu zagarnęła połowę majątku. Z nagraniem z lasu wina za rozpad małżeństwa rozkładała się po połowie.

Wybiegł na zewnątrz. Amandy jednak już tam nie było. „Uciekła suka" – pomyślał. „Zrobiła swoje i uciekła do Michała". Pobiegł do samochodu. Sięgał już klamkę, kiedy usłyszał wyraźne nawoływania Amandy: „Jasiiooo, Jasiiooo!".

Grała nadal czy całkowicie postradała zmysły? A może rzeczywiście o niczym nie wiedziała? Może wszystko zaplanował Piotr z Michałem, nie angażując jej zupełnie? Bali się, że nie wywiąże się ze swojego zadania. Że po tym świństwie, jakie mu zrobiła – czyli po zdradzie – nie będzie w stanie z zimną krwią zadać mu następnego ciosu. A Michał, ten zachłanny skurwysyn, był do tego zdolny – zwłaszcza dla awansu i połowy majątku Karola, którego stanie się współwłaścicielem, gdy tylko weźmie z Amandą ślub.

Pobiegł zdenerwowany w kierunku, z którego dochodziły rozpaczliwe wołania. Na jego szczęście mgła nie była już tak gęsta, jak kilkanaście minut wcześniej, i bez problemu namierzył sylwetkę Amandy.

– Amanda, wsiadaj, kurwa, do samochodu! – krzyknął.

– Nie. Musimy odnaleźć Jasia. Nie możemy go tu zostawić.

Widział jej zapał do poszukiwań: zaciśnięte pięści, zagryzione zęby i ten zadziorny wyraz oczu – nie odpuści. Nie mógł zmusić jej do powrotu siłą, byłoby to zbyt ryzykowne dla zdrowia Adasia. Postanowił zatem podejść ją z innej strony: podstępem.

– To nic nie da – powiedział spokojnym tonem.

– Da, zobaczysz. Jak mi pomożesz, to w dwójkę na pewno go odnajdziemy.

– Nie… Ponieważ zwróciłem cukierki… Amando jesteśmy już z powrotem w rzeczywistości. On pozostał po drugiej stronie.

– Nie! – zawyła pełna rozpaczy. – Jak mogłeś… Prosiłam cię!

Nic nie było w stanie powstrzymać fontanny łez Amandy. Wytrysnęły z taką intensywnością, iż wydawało się, że nawet nie muskały jej policzków, spadając bezpośrednio na porastające podłoże paprocie.

– Pomyśl o Adasiu, twoim dziecku – kontynuował. – Im dłużej tu zostaniesz, tym bardziej go narażasz na niebezpieczeństwo.

Podszedł powoli do niej i złapał ją pod ramię.

Nie opierała się.

– Adaś… Tak, Adaś – powtarzała przez całą drogę do samochodu. – On jest teraz najważniejszy.

***

Stało się tak, jak przewidział to Karol. Krótką chwilę po tym jak odpalił silnik, wskaźnik poziomu paliwa opadł. Z pełnym przeświadczeniem o prawdziwości swojej wersji wydarzeń, ruszył więc przed siebie. Mgła przerzedziła się już tak mocno, iż nie ograniczała widoczności, mógł bez obawy jechać dość szybko. Przy rozgałęzieniu drogi skręcił w lewą odnogę – według logiki to ona powinna ich wyprowadzić w kierunku południowo-wschodnim.

Jechali w ciszy, wyczekując momentu, kiedy ujrzą w końcu asfaltową drogę.

Karol planował dokładnie dalsze kroki. Zaraz po tym, jak odstawi Amandę do celu, chciał powrócić do Warszawy i zgłosić się na policję. Nie wiadomo, z którego rejonu pochodził Mirek i jakie miał układy w okolicy, zbyt dużym ryzkiem byłoby więc zgłoszenie zawiadomienia na najbliższym posterunku.

Możliwe, że Mirek zatuszowałby całą sprawę. A do stolicy, tak wysoko, na pewno jego skorumpowane macki nie sięgają. Karol posiadał dowody na cały spisek. W kieszeni trzymał najważniejszy z nich – kłamliwy list od Pauliny. Winni zostaną więc odnalezieni i ukarani.

Obiecał sobie jedno: nawet jeśli Amanda maczała w tym wszystkim palce, to nie będzie jej oczerniał. Niech Adaś ma chociaż jedno z rodziców, bo tego, że Michał odpowie za wszystko wieloletnim więzieniem, był absolutnie pewien. Rzecz jasna Amanda nie pójdzie siedzieć tylko pod warunkiem, że wspólnicy nie sprzedadzą jej dla zmniejszenia własnych wyroków. W takim przypadku pozostanie jej już tylko żarliwa modlitwa do Boga, aby sąd uległ namowom obrońcy i nie pozbawiał nowonarodzonego dziecka matki. Samotne macierzyństwo, przy ewentualnym wyroku w zawieszeniu, będzie dla niej i tak wystarczającą karą.

Jeśli jednak Amanda rzeczywiście nie brała w tym wszystkim udziału, i naprawdę wierzy w te brednie z równoległym wymiarem i klątwą, to po procesie sądowym – wobec siły niezbitych dowodów, jakie tam zostaną zaprezentowane – nie będzie już miała wyjścia i będzie musiała przeprosić Karola, że powątpiewała w jego wersję wydarzeń. Wtedy pozostanie jej już tylko bicie się z pokorą w piersi za swoją głupotę i łatwowierność.

Karol był też spokojny o dalszy przebieg swojej kariery zawodowej. Z awansem nie będzie problemu. Gdy tylko prezesi Grudziński i Spółka dowiedzą się, co się stało, a zwłaszcza, kto był inicjatorem całego zajścia, na pewno obdarzą go jeszcze większym zaufaniem.

Amanda z kolei marzyła tylko o jednym: chciała uwolnić się wreszcie od tego koszmaru, paść w objęcia matki i wydać na świat zdrowego chłopca. I niech Bóg jej wybaczy, że nie pomogła Jasiowi. Postanowiła, iż zmieni drugie imię swojego dziecka z Karola na Jana. Karol nie będzie miał nic do gadania – to w końcu nie jego syn.

Po niespełna trzydziestu minutach od chwili, gdy wyruszyli spod ruin domku, ich oczom ukazała się prostopadła asfaltowa szosa.

– Nie mam zielonego pojęcia, w którym momencie i jak spreparowali tę drogę. – Zatrzymał samochód, po czym zaczął głośno bić brawo. – Na szczęście policja szybko to wyjaśni.

– Karol – Amanda spojrzała wystraszona na męża – odeszły mi wody. Ja rodzę.

25.
Rok 2026 – rozstanie

Przerwaliśmy jazdę tuż przed wyjazdem na asfaltową drogę. Wyskoczyłam z samochodu, by zaczerpnąć świeżego powietrza. Byłam wyczerpana. Jeszcze trochę i z pewnością bym zemdlała. Oparłam się ręką o drzewo, jednak po chwili osunęłam się na kłęczki. Dziewczyna wyszła z samochodu tuż po mnie i oświadczyła, że to koniec. Odetchnęłam z ulgą. Przypomniałam im jednak, że są mi coś winni, i nie miałam na myśli tylko pieniędzy. Dziewczyna skinęła głową na partnera i oddaliła się w stronę lasu.

Mężczyzna przytaknął posłusznie głową i zaczął mówić:

– Pracowałem wtedy w pogotowiu ratunkowym w ***[9]. Byłem młodym sanitariuszem z zaledwie kilkuletnim stażem.

---

9. Zobacz przypis nr 1.

To był zwykły, normalny dzień pracy. Kilka wezwań. Nic szczególnego. Do czasu.

Wracaliśmy do bazy, gdy zauważyliśmy na drodze mężczyznę wymachującego do nas rękoma. Zatrzymaliśmy się przy srebrnym samochodzie terenowym. Mężczyzna wrzeszczał, że jego żona rodzi. Wyskoczyliśmy z karetki, aby to sprawdzić, i rzeczywiście w terenówce siedziała kobieta, której odeszły wody płodowe. Przenieśliśmy ją zatem do ambulansu. Mężczyzna chciał jechać razem z nami. Pozwoliliśmy mu. Rozwarcie było tak duże, iż pewnym było, że kobieta urodzi w drodze do szpitala.

Lekarka zajęła się porodem, a ja jak zwykle kwestiami formalnymi. Poprosiłem nieznajomych o dane personalne: Karol i Amanda Matlak. Skądś kojarzyłem to nazwisko. Zacząłem im się więc baczniej przyglądać. Karol trzymał żonę za rękę i mówił, że jest przy niej, tak jak jej obiecywał, że dziecko teraz jest najważniejsze, i aby nie myślała o innych sprawach, na ich rozwiązanie przyjdzie bowiem odpowiedni moment później. Bardzo dobrze pamiętam każde jego słowo, każdy ruch, dosłownie wszystko.

Poprosiłem Karola o jakiś dokument tożsamości. Podał mi dowód osobisty. Spojrzałem na zdjęcie. Gdzieś już je widziałem. Wtedy skojarzyłem nazwiska i twarze z pewną medialną sprawą. „Karol i Amanda Matlak z Warszawy?" – zapytałem, chcąc się upewnić. Potwierdził. Zapytałem, kiedy ich odnaleziono, musiałem bowiem przegapić o tym informację. Karol próbował przebić się przez głośne krzyki żony, był zdziwiony tym, że ich szukają. Oznajmiłem mu, że raczej szukali, po czym oddałem mu dowód. Dodałem jeszcze, że swego czasu była to głośna sprawa, że minęło już trochę czasu, jakieś cztery lata.

Dotąd mam przed oczami jego wyraz twarzy. Patrzył na mnie jak na wariata. Uśmiechał się ironicznie. Jednak ten uśmiech szybko zniknął z jego twarzy, kiedy spojrzał w monitor komputera przy łóżku, na którym leżała jego żona. Wypowiedział na głos wyświetloną tam datę. Przerażony wyciągnął z kieszeni telefon i ponownie powtórzył aktualny dzień, miesiąc oraz rok. Nagle zaczął wrzeszczeć, że nie pozwoli z siebie zrobić świra, że bardzo dobrze wie o naszym spisku i już niedługo będziemy wszyscy siedzieć w pierdlu.

Najgorsze jednak było to, że jego szaleństwo udzieliło się również Amandzie. Kiedy usłyszała wrzask męża, zaczęła z kolei krzyczeć coś o jakichś narkotykach i klątwie. Wypluwała z siebie nieskładne zdania pomiędzy okrzykami bólu. Wszystko brzmiało jak stek bzdur. W ambulansie zapanował totalny chaos. Kierowca zatrzymał się i zagroził Karolowi, że go wyrzuci, jeśli się nie uspokoi. Na chwilę pomogło. Siedział i mamrotał coś sam do siebie. Nie słyszałem jego słów, Amanda zaczęła bowiem rodzić i jej krzyki stały się o wiele głośniejsze.

Myślałem, że sytuacja jest już opanowana: nic bardziej mylnego. Piekło zaczęło się na dobre, gdy na świat przyszło dziecko.

Oj, doskonale pamiętam słowa lekarki: „Gratuluję, mają państwo piękne zdrowe dzieciątko". Wtedy Karol rzucił się na nią, chcąc jej odebrać noworodka. Wrzeszczał, że to nie jego dziecko. Raz już byłem świadkiem podobnej sceny, kiedy białemu małżeństwu urodził się mulat. Ale w tym przypadku wszystko było w porządku. Nie potrafiłem zrozumieć, skąd taka gwałtowna reakcja ojca. W ostatniej chwili udało się mi go powstrzymać – bo już prawie dotknął dziecka. Przyznam, że był silny jak tur, a ja z każdą chwilą słabłem coraz bardziej. Na szczęście z pomocą przyszedł mi kierowca. Razem obezwładniliśmy furiata i wyrzuciliśmy go z samochodu. Przez cały czas krzyczał, iż trzeba zabić dziecko, bo to zło zrodzone. Z Amandą nie było takich problemów: zemdlała od razu na widok córki.

***

Zaraz gdy tylko skończył retrospekcję, spojrzałam na niego i zapytałam, czy chcą mi wcisnąć kit, że Matlakowie tułali się po lesie przez cztery lata, a Amanda urodziła córkę – przecież było to niemożliwe. Nie zdążył nic odpowiedzieć, bo dziewczyna, która właśnie zbliżyła się do nas i usłyszała ostatnie zdania, oznajmiła, aby potrącił mi dwie stówy z wypłaty i zawiózł z powrotem do Warszawy. Była cała spuchnięta od długiego i intensywnego płaczu. Zapytał ją, co zamierza teraz zrobić. Odpowiedziała mu spokojnie, że nie wróci już do domu dziecka i zostaje w zrujnowanej chacie w lesie, tutaj bowiem jest jej miejsce, a ona sama wreszcie dowiedziała się, kim tak naprawdę jest. W końcu dostała odpowiedź na dręczące ją sny i wizje. I jedyne co musi jeszcze zrobić, by osiągnąć pełnię szczęścia, oprócz odbudowania chaty, to odnaleźć swoją wnuczkę i sprowadzić ją z powrotem. Wraz z jej narodzinami bowiem klątwa z domu została zerwana i Paulina nie ma się już czego obawiać.

Przytaknął jej, po czym zaprosił mnie oschłym gestem do samochodu.

Nic z tego nie rozumiałam. Chciałam wyjaśnień. Podeszłam więc do dziewczyny i złapałam ją za dłoń. Wtedy ujrzałam całą prawdę o niej: utratę męża po ciężkiej chorobie, skierowaną przeciwko niej nienawiść ludzką, lata niesłusznego więzienia, śmierć z rąk skorumpowanej strażniczki oraz jej ponowne narodziny w ambulansie – odkupienie krzywdy.

Boże, chcę o tym zapomnieć…

Spis treści

Redakcja: *Editorial Paweł Pomianek*
Korekta: *Monika Baranowska*
Okładka: *Radosław Respond*
Skład: *Krzysztof Szymański*
Druk i oprawa: *Elpil*

Wydanie pierwsze
ISBN 978-83-7722-385-7

NOVAE RES — WYDAWNICTWO INNOWACYJNE
al. Zwycięstwa 96/98, 81-451 Gdynia
tel.: 58 735 11 61, e-mail: *dialog@novaeres.pl*, *http://novaeres.pl*

Publikacja dostępna jest w księgarni internetowej *zaczytani.pl*.

Wydawnictwo Novae Res jest partnerem
Pomorskiego Parku Naukowo-Technologicznego w Gdyni.

P P N T
Pomorski Park Naukowo-Technologiczny